O Pequeno Príncipe

ANTOINE DE SAINT-EXUPÉRY

Pequeno Príncipe

Tradução de **Frei Betto**

Título original:
Le petit prince

2ª Reimpressão — Março de 2016

Grafia atualizada segundo o Acordo Ortográfico da Língua Portuguesa de 1990, que entrou em vigor no Brasil em 2009

Editor e Publisher
Luiz Fernando Emediato

Diretora Editorial
Fernanda Emediato

Assistente Editorial
Adriana Carvalho

Capa, Projeto Gráfico e Diagramação
Alan Maia

Preparação
Sandra Martha Dolinsky

Revisão
Marcia Benjamim
Daniela Nogueira

DADOS INTERNACIONAIS DE CATALOGAÇÃO NA PUBLICAÇÃO (CIP)
(Câmara Brasileira do Livro, SP, Brasil)

Saint-Exupéry, Antonie de, 1900-1944.
O pequeno príncipe / Antonie de Saint-Exupéry ; [tradução Frei Beto]. São Paulo : Geração Editorial, 2015.

Título original: Le petit prince.

ISBN 978-85-8130-308-6

1. Literatura infantojuvenil I. Título.

15-04955 CDD: 028.5

Índices para catálogo sistemático

1. Literatura infantojuvenil 028.5
2. Literatura juvenil 028.5

GERAÇÃO EDITORIAL LTDA.

Rua Gomes Freire, 225 – Lapa
CEP: 05075-010 – São Paulo – SP
Telefax: (+ 55 11) 3256-4444
E-mail: geracaoeditorial@geracaoeditorial.com.br
www.geracaoeditorial.com.br

Impresso no Brasil
Printed in Brazil

Para Léon Werth

Peço perdão às crianças por dedicar este livro a um adulto. Tenho uma boa razão: esse adulto é meu melhor amigo no mundo. Outro motivo: ele é capaz de compreender inclusive os livros infantis. E um terceiro motivo: ele vive na França, onde passa fome e frio. Precisa de carinho.

Se todos esses motivos não forem suficientes, dedico este livro, então, à criança que esse adulto foi um dia. Todos os adultos um dia foram crianças. (Porém, raros se lembram disso.) Assim, corrijo minha dedicatória:

PARA LÉON WERTH,
QUANDO ERA CRIANÇA.

1

Quando eu tinha seis anos, vi uma ilustração fantástica em um livro sobre florestas virgens.

O livro se intitulava *Histórias vividas*. A gravura mostrava uma jiboia engolindo um animal. Eis a reprodução do desenho:

Dizia o livro: "Há serpentes que engolem um bicho inteiro, sem mastigar. Por isso, ficam sem poder se locomover, e, portanto, dormem durante seis meses para fazer a digestão".

Pensei muito sobre as aventuras na selva, e com lápis de cor, fiz meu primeiro desenho. Meu Desenho Número 1 era assim:

Mostrei minha obra-prima aos adultos e perguntei se tinham medo do meu desenho.

Eles responderam: "Quem tem medo de um chapéu?".

Meu desenho não era de um chapéu. Era de uma jiboia que havia devorado um elefante. Decidi, então, desenhar o interior da barriga da serpente para que os adultos pudessem entender melhor. Eles sempre precisam de explicações detalhadas... Meu Desenho Número 2 era assim:

Os adultos me aconselharam a deixar de lado a mania de desenhar cobras, vistas por fora ou por dentro, e procurar estudar geografia, história, matemática e gramática. Foi assim que, aos seis anos, abandonei uma promissora carreira de pintor. Fui desencorajado pelo fracasso de meu Desenho Número 1 e de meu Desenho Número 2. Os adultos nunca conseguem compreender nada sozinhos, e é cansativo para as crianças ter sempre que explicar as coisas para eles.

Tive que escolher outra profissão, e aprendi a pilotar aviões. Voei por todo o mundo. E, nisso, a geografia me foi muito útil. Bastava manter os olhos bem abertos e eu sabia dizer se voava sobre a China ou sobre o Arizona.

Isso é muito importante quando se fica perdido durante a noite.

Assim, ao longo da vida, tive bastante contato com muita gente séria. Vivi muito tempo entre adultos. Conheci-os de perto. E isso não fez melhorar a opinião que tenho deles.

Quando eu encontrava um que me parecia um pouco mais inteligente, mostrava meu Desenho Número 1, que guardara comigo. Era um jeito de saber se ele era mesmo inteligente. Quase sempre a resposta era a mesma: "Isso é um chapéu". Então eu me calava, nada dizia sobre cobras, selvas e estrelas. Entrava no jogo dele, e falava sobre baralho, golfe, política e gravatas. Assim, o adulto ficava contente por ter conhecido um homem tão sensato...

2

Fiquei muito sozinho, sem ter quase ninguém com quem conversar, até que, há seis anos, sofri uma pane que me obrigou a fazer um pouso de emergência, no deserto do Saara. Alguma coisa havia avariado o motor de meu avião. Como não viajava comigo nem mecânico nem passageiro, preparei-me para enfrentar o desafio de fazer um conserto complicado. Era, para mim, questão de vida ou morte. A água que eu tinha para beber dava apenas para mais oito dias.

Na primeira noite, dormi sobre a areia, distante quilômetros e quilômetros de qualquer lugar habitado. Estava mais isolado que um náufrago em um bote, perdido no meio do oceano. Vocês podem imaginar minha surpresa quando, ao amanhecer, fui despertado por uma doce voz de criança, que disse:

— Por favor... desenhe um carneirinho para mim!

— O quê?!

— Sim, desenhe um carneirinho!

Levantei-me depressa, como se atingido por um raio. Esfreguei bem os olhos e olhei em volta. Vi um rapazinho que, feliz, me encarava. Eis aqui o melhor retrato que, mais tarde, fiz dele:

Ora, meu desenho é, com certeza, bem menos charmoso que o modelo. Não é culpa minha. Quando tinha seis anos, os adultos me desencorajaram a seguir a carreira de pintor. Não aprendi a desenhar mais nada, exceto serpentes vistas pelo lado de fora e serpentes vistas pelo lado de dentro.

Encarei aquela aparição com olhar perplexo. Não esqueçam que eu me encontrava a quilômetros e quilômetros de distância de qualquer região habitada. Meu novo amigo não me pareceu perdido, cansado, faminto, com sede, nem com medo. Nada tinha da aparência de um jovem perdido no meio do deserto, a milhares de quilômetros de qualquer cidade. Quando consegui falar, perguntei:

— O que faz aqui?

Com voz doce, ele pediu novamente:

— Por favor... desenhe um carneirinho para mim.

Quando o mistério é muito profundo, é melhor não contrariar. Por mais absurdo que possa parecer, eu, ali, distante milhares de quilômetros de qualquer lugar, e com risco de morrer, tirei da mochila uma folha de papel e uma caneta. Logo lembrei que eu havia estudado principalmente geografia, história, matemática e gramática, e disse ao jovem (com certo mau humor) que não sabia desenhar. Ele reagiu:

— Não importa. Desenhe um carneirinho para mim.

Como eu nunca havia desenhado um carneiro, refiz um dos dois únicos desenhos de que eu era capaz de fazer — aquele da jiboia vista por fora. Fiquei surpreso quando meu amigo reclamou:

— Não! Não! Não quero um elefante engolido por uma cobra. A serpente é muito perigosa, e um elefante ocupa bastante espaço. Em meu pequeno planeta quase não há espaço. Quero um carneirinho. Desenhe um para mim.

Fiz então este desenho.

Ele fitou o desenho atentamente e disse:

— Nada disso! Esse desenho é muito ruim. Faça outro.

Fiz este:

Meu amigo sorriu educadamente:

— Está na cara... isso não é uma ovelha, é um bode. Tem até chifres...

Então, refiz o desenho. De novo, ele protestou:

— Esse carneiro é velho! Quero um que ainda viva por muitos anos.

Então, já impaciente, e como eu tinha pressa de consertar o motor do avião, rabisquei este desenho:

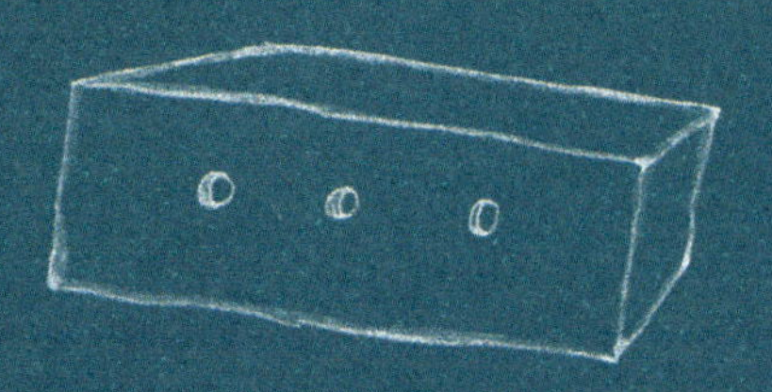

E expliquei:

— Isto é uma caixa. Dentro dela está seu carneiro.

Fiquei surpreso ao ver iluminar o rosto de meu jovial juiz:

— É exatamente como eu queria! Será preciso muito capim para alimentar este carneirinho?

— Por quê?

— Porque onde moro tudo é muito pequeno...

— Não se preocupe. Eu lhe dei um carneirinho bem pequeno.

Ele examinou atentamente o desenho:

— Ele não é tão pequeno assim... Veja! Adormeceu...

E foi assim que, um dia, conheci o pequeno príncipe.

3

Demorei para saber de onde ele provinha. O pequeno príncipe me fazia muitas perguntas e parecia não dar importância ao que eu lhe perguntava. Palavras ditas por ele, ao acaso, esclareceram-me tudo pouco a pouco. Quando ele avistou pela primeira vez meu avião (não vou desenhar o avião, é muito complicado para mim), indagou:

— Que coisa é aquela?

— Não é uma coisa. Aquilo voa! É um avião. Meu avião.

Senti orgulho ao dizer que eu voava. Ele retrucou, intrigado:

— Como? Você caiu do céu?

— Sim — confirmei sem falsa modéstia.

— Nossa, que história curiosa!

O pequeno príncipe deu uma risada que me irritou bastante. Eu esperava que ele levasse a sério minhas dificuldades. Ele acrescentou:

— Então você também veio do céu! De qual planeta você é?

Vislumbrei, em suas palavras, uma brecha para descobrir o mistério de sua aparição, e perguntei na bucha:

— Você vem de outro planeta?

Ele não respondeu. Balançou a cabeça de leve, sem tirar os olhos do avião:

— Imagino que você, dentro daquilo, não veio de muito longe...

Ele ficou longo tempo parado, como quem sonha de olhos abertos. Depois, tirou do bolso o desenho do carneiro e fitou atentamente seu tesouro.

Vocês podem imaginar quanto me intrigou aquela simples menção a "outros planetas". Procurei saber mais:

— De onde vem, meu amigo? Onde fica sua casa? Para onde levará o carneiro?

Após um silêncio meditativo, ele respondeu:

— O bom é que, à noite, esta caixa que você desenhou poderá servir de casa para ele.

— Ótimo! Eu lhe darei também uma corda para amarrá-lo durante o dia. E uma estaca para prendê-lo.

A proposta pareceu chocar o pequeno príncipe:

— Amarrar? Que ideia maluca!

— Ora, se não o amarrar de algum jeito, ele acabará fugindo para longe.

Meu amigo deu outra gargalhada:

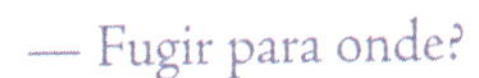

— Fugir para onde?

— Sei lá para onde. Mas você correrá o risco de perdê-lo…

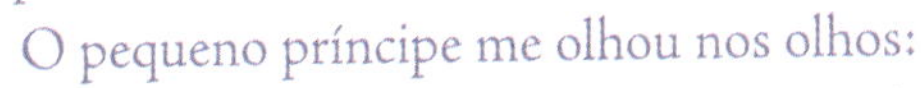

O pequeno príncipe me olhou nos olhos:

— Ele não fugirá, é muito pequeno o lugar onde moro!

E um pouco triste, acrescentou:

— Onde moro, ninguém, andando sempre em frente, pode ir muito longe...

4

Logo percebi algo curioso: seu planeta de origem era pouco maior que uma casa.

Isso não me surpreendeu. Eu sabia que além de planetas grandes — como a Terra, Júpiter, Marte e Vênus, aos quais nós, humanos, demos nomes —, há centenas de outros planetas tão pequenos que mal se consegue vê-los pelo telescópio. Quando um astrônomo descobre um, dá a ele um número, e não um nome. Passa a chamá-lo, por exemplo, de "Asteroide 325".

Tenho sérios motivos para acreditar que o planeta do qual veio o pequeno príncipe é o Asteroide B612. Esse asteroide só foi visto uma única vez, por telescópio, em 1909, por um astrônomo turco.

Ele fez uma importante apresentação de sua descoberta em um congresso internacional de astronomia. Mas ninguém acreditou no que ele disse, por causa das roupas típicas que vestia. Os adultos têm cada preconceito...

Felizmente, para a reputação do Asteroide B612, um ditador turco obrigou toda a população, sob ameaça de pena de morte, a se vestir à moda europeia. O astrônomo, já com um terno muito elegante, fez nova apresentação em 1920. E, dessa vez, todo o mundo acreditou nele!

Sabe por que falo desses detalhes do Asteroide B612 e lhe revelo seu número? Por causa dos adultos. Adultos adoram números. Quando vocês contam que têm um novo amigo, eles não ligam para o que é importante. Nunca perguntam: "Qual o tom da voz dele?", "De que ele gosta de brincar?", "Ele faz coleção de borboletas?".

Os adultos preferem perguntar: "Que idade tem?", "Quantos irmãos?", "Quanto pesa?", "Quanto ganha o pai dele?".

Só assim os adultos se convencem de que conhecem seu novo amigo. Se vocês dizem a um deles: "Vi uma bela casa de tijolos cor-de-rosa, com gerânios nas janelas e pombos no telhado", ele não é capaz de fazer uma ideia dessa casa. É preciso dizer a ele: "Vi uma casa que custa uma fortuna!". Então ele se interessa: "Poxa, deve ser maravilhosa!".

Portanto, se dissermos aos adultos: "A prova de que o pequeno príncipe existe é que era encantador, dava boas risadas e me pediu um carneiro. Quando alguém deseja ter um carneiro é a prova de que a pessoa existe", os adultos vão nos encarar com indiferença e dirão que isso é coisa de criança! Mas se dissermos: "Ele veio do planeta Asteroide B612", então acreditarão, e não vão mais nos chatear com outras perguntas.

Eles são assim mesmo. Nem por isso devemos lhes querer mal. As crianças precisam ter muita paciência com os adultos.

Mas, para nós, que compreendemos a vida, os números não têm tanta importância! Bem que eu gostaria de narrar esta história como se fosse um conto de fadas. Eu escreveria assim:

"Era uma vez um pequeno príncipe que habitava um planeta pouco maior que ele próprio, e queria ter um amigo..."

Para quem compreende a vida, isso soaria bem mais convincente.

Eu não gostaria que vocês lessem meu livro superficialmente. É sofrido, para mim, revelar essas lembranças. Faz seis anos que meu amigo partiu em companhia de seu carneiro. Se tento descrevê-lo aqui é justamente para não o esquecer. É muito triste esquecer um amigo. Nem todo mundo tem um amigo. E não quero bancar o adulto que só se interessa por números. Foi por isso que comprei lápis de cor e uma aquarela. É difícil, na minha idade, voltar a desenhar, ainda mais que a única tentativa que fiz foi desenhar uma jiboia vista de fora e outra vista de dentro, e isso quando eu tinha seis anos!

Podem estar certos de que tentarei fazer retratos bem fiéis. Não sei se vou conseguir. Pode ser que um desenho saia bom e outro não. Cometo erros de proporção. Em um o pequeno príncipe aparece mais alto; em outro, menor do que era. Também fico em dúvida quanto às cores de suas roupas. Tento acertar. Sei que me engano em certos detalhes importantes. Peço desculpas. Meu amigo jamais explicava as coisas. Acho que me julgava igual a ele. Mas eu, infelizmente, sou incapaz de enxergar um carneiro pelos buraquinhos do desenho de uma caixa. Sinto que mais pareço um adulto. Acho que estou ficando velho...

5

Todo dia eu aprendia alguma coisa sobre seu planeta, sua partida, sua viagem. Cada detalhe aparecia aos poucos, ao longo de nossos papos. Foi assim que, no terceiro dia, fiquei sabendo do drama dos baobás.

Isso eu soube graças ainda ao carneiro. De repente, o pequeno príncipe perguntou muito preocupado:

— É verdade que os carneiros comem arbustos?

— Sim, é verdade.

— Ah, que bom!

Não entendi por que ele considerava tão importante saber se os carneiros comem arbustos. Ele logo acrescentou:

— Então, os carneiros também comem baobás?

Expliquei ao pequeno príncipe que os baobás não são simples arbustos, são árvores tão grandes quanto igrejas, e ainda que ele tivesse uma manada de elefantes, não seria suficiente para derrubar um baobá.

Ao ouvir falar da manada de elefantes, o pequeno príncipe deu uma risada:

— Seria preciso um elefante subir em cima do outro...

E observou com sabedoria:

— Antes de crescer, os baobás nascem de uma pequena planta.

— É verdade! Mas por que supõe que carneiros comem mudas de baobás?

Ele retrucou:

— É óbvio! — Como se não tivesse nenhuma dúvida.

Precisei quebrar a cabeça para entender aonde ele queria chegar.

Fiquei sabendo que há no planeta do pequeno príncipe, como em todos os planetas, ervas boas e más. Portanto, há sementes de ervas boas e sementes de ervas más. Porém, elas são invisíveis. Dormem no seio da terra até que uma delas decide despertar. Então, ela se espreguiça toda e cresce na direção do Sol, como um delicado raminho. Se for uma semente de rabanete ou de rosa, não há por que se preocupar com seu crescimento. Mas se for uma planta daninha, uma erva má, deve ser imediatamente arrancada.

Ora, havia sementes poderosas no planeta do pequeno príncipe... sementes de baobás! O solo do planeta estava infestado delas. E um baobá, se não for arrancado quando pequeno, é muito difícil de cortar. Ele se espalha por todo o planeta. Suas raízes esburacam inteiramente o chão. E quando o planeta é muito pequeno e os baobás numerosos, há o perigo de rachar tudo.

— É uma questão de disciplina — disse, depois, o pequeno príncipe. — Quando termino de me lavar pela manhã, trato de limpar carinhosamente o planeta. Arranco as mudas de baobás com o cuidado de não arrancar as de roseiras, pois se parecem muito. É um trabalho meio chato, mas muito fácil.

Ele me aconselhou a fazer um belo desenho do que havia descrito para que as crianças do meu planeta ficassem cientes do perigo.

— Se elas um dia viajarem, o desenho pode ser útil. Não há problema deixar para mais tarde o trabalho de limpeza do solo. Mas, no caso dos baobás, qualquer atraso é uma catástrofe! Conheci um planeta habitado por um sujeito preguiçoso, que deixou de arrancar três mudas...

Orientado pelo pequeno príncipe, desenhei o tal planeta. Detesto bancar o alarmista! Porém, o perigo dos baobás é muito pouco conhecido, e são grandes os riscos que corre quem fica perdido num asteroide. De modo que contrario meus princípios e alerto: "Crianças, cuidado com os baobás!".

Foi para alertar meus amigos sobre o perigo que correm e eu também —, sem nos darmos conta, que caprichei no desenho. Valeu a pena chamar a atenção para o problema. Talvez vocês me perguntem: "Por que neste livro não há outros desenhos tão espantosos como o dos baobás?". Minha resposta é simples: "Bem que tentei, mas não consegui". Ao desenhar os baobás eu me senti pressionado pela urgência de alertar para o perigo.

6

Ah, pequeno príncipe, aos poucos compreendi sua vidinha melancólica. Durante muito tempo você tinha como distração apenas a beleza do pôr do sol. Percebi esse novo detalhe ao amanhecer do quarto dia, quando ele me disse:

— Adoro o pôr do sol. Venha, vamos ver o pôr do sol...

— Mas precisamos esperar...

— Esperar o quê?

— Esperar que o Sol se ponha.

Ele fez uma cara de surpresa e, em seguida, riu de si mesmo. E disse:

— Sempre acho que estou em casa!

— De fato, quando é
meio-dia nos Estados Unidos, todo
o mundo sabe que é hora de o sol se pôr
na França. Bastaria poder ir dos Estados Unidos
à França em um minuto para assistir ao pôr do sol.
Infelizmente, a distância é grande. Porém, em seu pequeno planeta basta recuar um pouco a cadeira para contemplar
o crepúsculo toda vez que deseje...

— Um dia, vi o sol se pôr quarenta e quatro vezes!

E logo acrescentou:

— Você sabe... quando se está triste, é bom ver o
pôr do sol...

— Você estava tão triste que precisou vê-lo
quarenta e quatro vezes em um só dia?

O pequeno príncipe nada
respondeu.

7

No quinto dia, graças ao carneiro, um segredo da vida do pequeno príncipe me foi revelado. Ele me perguntou na bucha, sem rodeios, como quem havia meditado em silêncio por longo tempo sobre o problema:

— Se um carneiro come arbustos, também come flores?

— Um carneiro come tudo que encontra pela frente.

— Mesmo flores com espinhos?

— Sim, mesmo flores com espinhos.

— E para que servem os espinhos?

Eu não tinha a menor ideia. Estava muito ocupado desatarraxando um parafuso apertado do motor do avião. A grave pane que sofrera me deixava muito preocupado. A água para beber já não era muita, e eu temia que acabasse logo.

— Para que servem os espinhos?

O pequeno príncipe insistiu na pergunta. Ele nunca desistia enquanto não ouvia uma resposta. Como eu estava ocupado com o parafuso, respondi qualquer coisa:

— Os espinhos não servem para nada. São pura maldade das flores!

— Oh!

Após breve silêncio, ele afirmou com rancor:

— Não acredito no que você diz! As flores são frágeis. E ingênuas. Defendem-se como podem. Julgam-se poderosas com seus espinhos...

Nada respondi. Naquele momento eu pensava no seguinte: "Se o parafuso não afrouxar, vou soltá-lo com uma martelada". O pequeno príncipe interrompeu de novo meu pensamento:

— Você acredita que as flores...

— Chega! Chega! Não acho nada! Eu respondi qualquer coisa. Prefiro me ocupar com coisas sérias!

Ele me fitou perplexo.

— Coisas sérias! — Repeti.

Ele me observava segurar o martelo, com os dedos sujos de graxa, debruçado sobre uma peça que lhe parecia muito feia.

— Você reage como os adultos!

Ouvir isso me deixou envergonhado. Impiedoso, ele acrescentou:

— Você confunde tudo! Mistura tudo!

Ele estava muito irritado. O vento agitava seus cabelos dourados:

— Conheço um planeta onde vive um sujeito vermelho. Ele nunca sentiu o perfume de uma flor. Jamais contemplou uma estrela. Nunca amou ninguém. A única coisa que fez na vida foi contas. E todo dia ele repetia como você: "Sou um homem sério! Sou um homem sério!", e isso o enchia de orgulho. Ora, isso não é um homem, é um cogumelo!

— Um o quê?

— Um cogumelo!

O pequeno príncipe estava pálido de tanta raiva.

— Há milhares de anos as flores produzem espinhos. Há milhares de anos que os carneiros, apesar disso, comem flores. E não considera importante descobrir por que elas fazem tão mal a si mesmas produzindo espinhos que não servem para nada? Não dá importância à guerra entre carneiros e flores? Isso não é mais importante que as contas de um sujeito vermelho e barrigudo? Conheço uma flor, única no mundo, que não existe em nenhum lugar, só mesmo em meu planeta, e que num belo dia, pela manhã, o carneirinho pode engolir com uma única dentada, sem se dar conta do que fez. Acha que isso não tem importância?

Vermelho de raiva, ele prosseguiu:

— Se alguém ama uma flor da qual existe apenas um único exemplar entre milhões e milhões de estrelas, isso não basta para fazê-lo feliz ao contemplá-la? Ele pensa: "Minha flor está lá, em algum lugar...". Porém, se o carneiro a comer, isso será para ele como se todas as estrelas se apagassem de repente. Isso não tem importância?

Ele não conseguiu dizer mais nada. De repente, começou a chorar. A noite havia chegado. Larguei minhas ferramentas. Danem-se o martelo, o parafuso, a sede e a morte! Havia ali sobre um astro, um planeta, meu planeta, a Terra, um pequeno príncipe necessitado de meu carinho. Tomei-o nos braços. Afaguei-o. E disse:

— A flor que você tanto ama não corre perigo... Vou desenhar uma focinheira para você colocar no carneiro... E um cercadinho para proteger a flor... Eu...

Eu não sabia mais o que dizer. Fiquei constrangido, sem saber como confortá-lo. Como é misterioso o país das lágrimas!

8

ogo aprendi a conhecer melhor aquela flor. Sempre houve, no planeta do pequeno príncipe, flores muito simples, enfeitadas por uma única coroa de pétalas, e que não ocupavam muito espaço nem incomodavam ninguém.

Desabrochavam pela manhã, e à noite murchavam. Mas aquela havia germinado de uma semente proveniente não se sabe de onde, e o pequeno príncipe cuidara daquele broto que não se assemelhava a nenhum outro. Quem sabe era uma nova espécie de baobá! Mas a muda logo parou de crescer, e dela brotou uma flor. Poderia ser uma nova espécie...

O pequeno príncipe, que viu florir um belo botão, percebeu ali um desabrochar miraculoso; mas a flor cuidava de sua beleza sem pressa dentro do pedúnculo verde. Escolhia com muita atenção suas cores. Vestia-se devagar, ajeitando suas pétalas uma a uma. Não queria se exibir toda amarrotada como os cravos. Queria aparecer no esplendor de sua beleza. Ah, sim, era muito vaidosa! Sua misteriosa maquiagem havia durado dias e dias. E eis que, certo dia, exatamente ao nascer do sol, ela se apresentou.

E a flor, que havia se enfeitado com tanto cuidado, disse bocejante:

— Ahhhh! Acabo de despertar... Desculpe... Ainda estou toda despenteada...

O pequeno príncipe não conteve a admiração:

— Como você é bonita!

— Sei disso — respondeu a flor delicadamente. — Nasci com o Sol.

O pequeno príncipe percebeu logo que ela não era nada modesta. Mas como era encantadora!

— Creio que é hora do café da manhã — disse ela. E logo acrescentou: — Tenha a gentileza de cuidar de mim...

O pequeno príncipe, meio atordoado, foi apanhar um regador com água fresca para molhá-la.

Ele ficou constrangido diante daquela vaidade exagerada. Um dia, por exemplo, ao falar de seus quatro espinhos, ela disse ao pequeno príncipe:

— Que venham os tigres com suas garras!

— Não existem tigres em meu planeta — objetou o pequeno príncipe. — Além disso, tigres não comem plantas.

— Não sou uma planta — reagiu suavemente a flor.

— Peço desculpas...

— Não tenho medo dos tigres, mas detesto correntes de ar. Você, por acaso, tem um pequeno biombo para me proteger do vento?

"Horror às correntes de ar... Ora, isso não convém a uma planta", — refletiu o pequeno príncipe. "Que flor mais complicada!"

— À noite, trate de me guardar numa redoma de vidro. Aqui faz muito frio. Não me sinto confortável. Lá, de onde venho...

Súbito, calou-se. Ela havia chegado como semente. Não podia conhecer outros planetas. Envergonhada por ter sido surpreendida em uma mentira tão rasteira, tossiu duas ou três vezes, e para incomodar o pequeno príncipe, cobrou:

— E o biombo?

— Ia buscá-lo, mas você não para de falar!

Então, ela tossiu ainda mais forte para deixá-lo com sentimento de culpa.

Assim, o pequeno príncipe, apesar de sua generosidade e de seu amor, logo desconfiou dela. Ele havia levado a sério coisas sem importância, o que o deixara bastante chateado.

— Eu não deveria ter lhe dado ouvidos — desabafou ele um dia. — É melhor não escutar as flores. Basta admirá-las e aspirar seu perfume. A minha perfumava todo meu planeta, mas eu nem ligava. Aquela história de garras me incomodou muito, e, no entanto, deveria ter me agradado.

E ele me confidenciou, ainda:

— Há coisas que não posso compreender! Acho que deveria tê-la julgado por seus atos, e não por suas palavras. Ela era perfumada e me alegrava. Nunca deveria tê-la abandonado. Deveria ter captado sua ternura por trás de seu jeito rude. Como as flores são complicadas! Mas eu era ainda muito jovem para saber amá-la!

9

Para fugir de onde morava, ele aproveitou uma revoada de pássaros selvagens em migração. Na manhã daquele dia, tratou de deixar seu planeta bem arrumadinho. Limpou cuidadosamente os vulcões em atividade. Havia ali dois vulcões que cuspiam fogo. Isso lhe facilitava esquentar o café da manhã. Havia também um vulcão extinto. Mas, como ele dizia:

— Nunca se sabe!

Limpou também o vulcão extinto. Quando bem limpinhos, os vulcões ardem calmamente sem provocar erupções. As erupções vulcânicas são como chaminés que cospem fogo. Aqui na Terra, somos pequenos demais para poder limpar os vulcões. Por isso eles nos atemorizam.

Com certa tristeza, o pequeno príncipe também arrancou as últimas mudas de baobás. Pensava que jamais regressaria. Mas todos aqueles afazeres domésticos lhe pareceram, naquela manhã, tarefas amenas. E quando regou a flor pela última vez, e se preparava para guardá-la dentro da redoma de vidro, teve vontade de chorar.

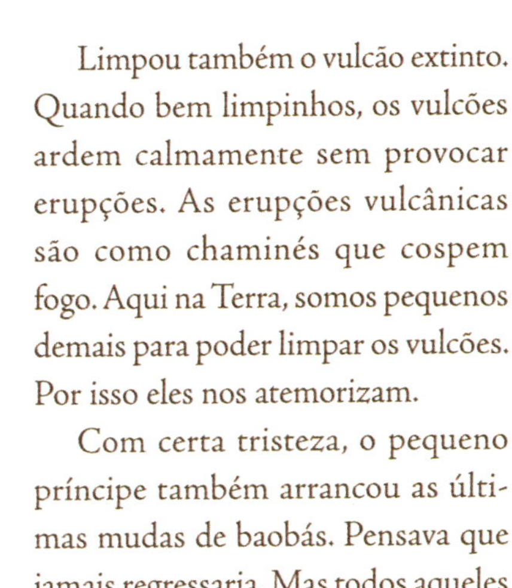

— Adeus — disse à flor.

Ela nada respondeu.

— Adeus — repetiu.

A flor tossiu, e não era por causa de um resfriado.

— Sou uma boba — disse ela, então. — Perdoe-me. Quero que você seja feliz.

Ele se surpreendeu por ela não se queixar. Com a redoma de vidro nas mãos, ficou encabulado. Difícil para ele entender tanta amabilidade.

— Sabe que amo você? — Confessou a flor. — Se nunca percebeu, a culpa é minha. Mas não tem nenhuma importância, você é tão bobo quanto eu. Quero que seja feliz... Largue essa redoma, não preciso mais dela.

— E se ventar?

— Não estou muito resfriada... A brisa noturna me fará bem. Sou uma flor.

— E os bichos?

— Não se pode conhecer as borboletas sem suportar duas ou três lagartas. Dizem que são muito bonitas. Senão, quem virá me visitar? Você já não estará aqui... Quanto aos bichos grandes, não tenho medo. Usarei meus espinhos.

Ela exibiu ingenuamente seus quatro espinhos e acrescentou:

— O que está esperando? Não fique aí parado. Se decidiu ir embora, vá logo!

Ela não queria que ele a visse chorar. Era uma flor muito convencida...

10

le viajou para os Asteroides 325, 326, 327, 328, 329 e 330. Foi visitá-los para ter com que se ocupar e se instruir.

O primeiro era habitado por um rei. O rei, vestido de púrpura e arminho, ocupava um trono simples e majestoso.

— Oba! Eis um súdito! — exclamou o rei ao ver o visitante.

O pequeno príncipe indagou a si mesmo: "Como me considera súdito se nunca me viu?".

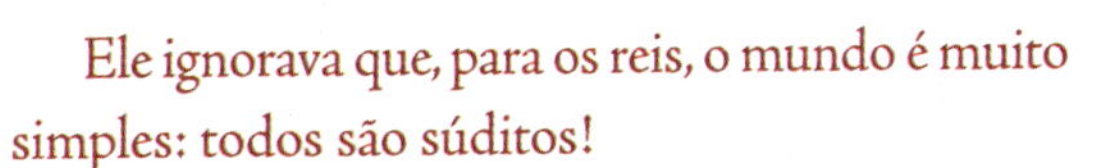

Ele ignorava que, para os reis, o mundo é muito simples: todos são súditos!

— Aproxime-se para que eu o veja melhor — disse o rei, feliz por, enfim, ter um súdito.

O pequeno príncipe olhou em volta à procura de uma cadeira, mas o planeta inteiro estava coberto pelo esplendoroso manto de arminho. Então, ficou em pé e, como se sentia cansado, bocejou.

— É falta de educação bocejar diante de um rei — queixou-se o monarca. — Eu o proíbo.

— Não posso evitar — retrucou embaraçado o pequeno príncipe. — Fiz uma longa viagem e ainda não dormi...

— Então — disse o rei —, ordeno que boceje. Há anos não vejo ninguém bocejar. Os bocejos são, aos meus olhos, raridades. Trate de bocejar! Eu ordeno!

— Assim fico intimidado... Não consigo... — desculpou-se, encabulado, o pequeno príncipe.

— Hum! Hum! — reagiu o rei. — Ordeno, então, que você ora boceje e ora...

Ele gaguejou um pouco e pareceu contrariado.

O que o rei queria era que sua autoridade fosse respeitada. Não tolerava desobediência. Era um monarca absolutista. Porém, por ter bom coração, dava ordens sensatas.

— Se eu ordenasse — disse com tranquilidade — que um general se transformasse em gaivota, e o general não me obedecesse, a culpa não seria dele, seria minha.

— Posso me sentar? — perguntou educadamente o pequeno príncipe.

— Ordeno que se sente — replicou o rei, recolhendo majestosamente a ponta de seu manto de arminho.

O pequeno príncipe estava perplexo. O planeta era minúsculo. Sobre quem reinava o rei?

— Majestade — disse ele —, peço licença para fazer perguntas...

— Ordeno que me faça perguntas — frisou o rei.

— Majestade... sobre quem o senhor reina?

— Sobre todo o mundo — respondeu o rei com naturalidade.

— Sobre todo o mundo?

O rei apontou seu planeta, os outros planetas e também as estrelas.

— Sobre tudo isso? — exclamou o pequeno príncipe.

— Sim, sobre tudo isso... — admitiu o rei.

Portanto, não era apenas um monarca absolutista, era também um monarca universal.

— E as estrelas lhe obedecem?

— É claro — disse o rei. — Elas me obedecem prontamente. Não suporto indisciplina.

Tanto poder maravilhou o pequeno príncipe. Se tivesse o mesmo poder, ele assistiria não apenas a quarenta e quatro, mas a setenta e dois, ou mesmo a cem, ou quem sabe a duzentos pores do sol no mesmo dia, sem se levantar da cadeira. E como se sentisse um pouco triste ao recordar seu pequeno planeta abandonado, atreveu-se a pedir um favor ao rei:

— Gostaria de ver um pôr do sol... Por favor... Ordene ao Sol que se ponha agora...

— Se eu ordenasse a meu general voar de uma flor a outra como se fosse uma borboleta, ou escrever uma peça de teatro, ou se transformar em gaivota, e se o general não cumprisse a minha ordem, quem de nós, ele ou eu, estaria errado?

— O senhor — retrucou convicto o pequeno príncipe.

— Exato. É preciso exigir de cada um o que cada um pode dar — frisou o rei. — A autoridade se baseia na razão. Se ordenar ao povo se afogar no mar, ele fará uma revolução. Tenho o direito de exigir obediência porque minhas ordens são sensatas.

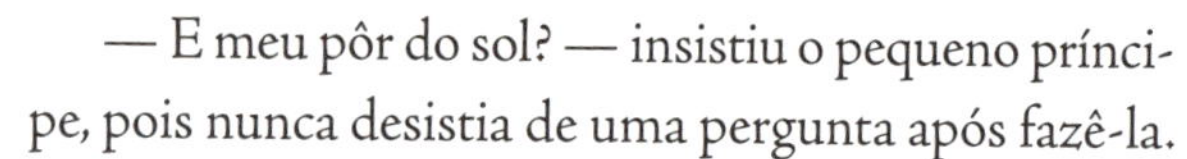

— E meu pôr do sol? — insistiu o pequeno príncipe, pois nunca desistia de uma pergunta após fazê-la.

— Você terá seu pôr do sol, fique tranquilo. Vou consegui-lo. Mas aguardarei, segundo minha sabedoria de governante, que as condições sejam favoráveis.

— E quando ocorrerá isso? — retrucou o pequeno príncipe.

— Vejamos! Vejamos! — exclamou o rei ao consultar seu volumoso calendário. — Vejamos! Vejamos! Isso acontecerá... acontecerá... acontecerá esta noite, por volta de sete horas e quarenta minutos. Você verá como minhas ordens são sempre obedecidas.

O pequeno príncipe bocejou. Sentia falta de seu pôr do sol. Além disso, estava um tanto aborrecido:

— Já nada tenho a fazer aqui — informou ao rei. — Vou embora.

— Não vá — suplicou o rei, feliz por ter um súdito. — Fique aqui, farei de você ministro!

— Ministro de quê?

— Ministro... da Justiça!

— Mas não há ninguém aqui para ser julgado!

— Nunca se sabe — observou o rei. — Ainda não percorri todo meu reino. Estou muito velho, aqui não há espaço para uma carruagem, e tenho preguiça de caminhar.

— Ora, já constatei — disse o pequeno príncipe dando uma olhada no outro lado do planeta — que aqui não há ninguém...

— Então, você será juiz de si mesmo — sugeriu o rei. — Sei que é muito difícil. É bem mais difícil julgar a si mesmo que julgar os outros. Se conseguir julgar a si mesmo, provará que é um verdadeiro sábio.

— Posso julgar a mim mesmo em qualquer lugar — disse o pequeno príncipe. — Não vejo por que morar aqui.

— Ora, ora! — exclamou o rei. — Desconfio de que há um velho rato escondido em algum lugar deste planeta. À noite, escuto seus ruídos. Você poderá julgar esse velho rato e condená-lo à morte de vez em quando. Assim, a vida dele dependerá de sua justiça. Mas como ele é o único, você o absolverá a cada vez que o condenar.

— Jamais condenaria alguém à morte — reagiu o pequeno príncipe. — E acho que é hora de eu ir embora.

— Fique! — suplicou o rei.

Mas o pequeno príncipe, após terminar seus preparativos, não quis incomodar o velho monarca:

— Se Vossa Majestade deseja ser prontamente obedecido, dê-me uma ordem sensata. Ordene, por exemplo, que eu parta imediatamente. Tudo indica que as condições são favoráveis...

O rei não reagiu. O pequeno príncipe hesitou um pouco, deu um suspiro e partiu...

— Faço de você meu embaixador! — gritou o rei.

Ele se julgava com suprema autoridade.

"Como os adultos são estranhos!", refletiu o pequeno príncipe durante sua viagem.

11

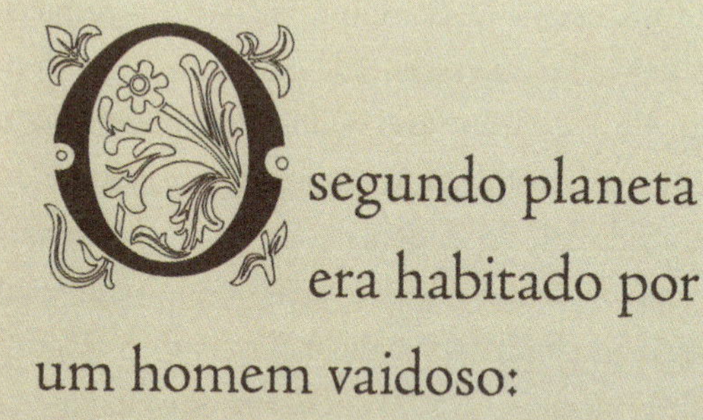

O segundo planeta era habitado por um homem vaidoso:

— Oba, oba! Eis que se aproxima um fã! — exclamou o vaidoso ao perceber, ao longe, o pequeno príncipe.

Óbvio, para os vaidosos todas
as pessoas são suas fãs.

— Bom-dia! — cumprimentou o pequeno príncipe. — Como é engraçado seu chapéu!

— É para agradecer — explicou o vaidoso. — Agradecer quando me aplaudem. Infelizmente, ninguém jamais aparece por aqui.

— É mesmo? — exclamou o pequeno príncipe sem entender nada.

— Bata as palmas de suas mãos uma na outra — pediu o vaidoso.

O pequeno príncipe bateu as palmas das mãos uma na outra. O vaidoso inclinou-se e agradeceu, erguendo o chapéu.

"Isso é mais divertido que a visita ao rei", disse a si mesmo o pequeno príncipe. E de novo aplaudiu. O vaidoso novamente agradeceu tirando o chapéu.

Após cinco minutos de repetidos aplausos, o pequeno príncipe se cansou daquele jogo chato:

— E para o chapéu cair — indagou —, o que é preciso fazer?

O vaidoso não ouviu. Os vaidosos só escutam elogios.

— Você tem mesmo enorme admiração por mim? — indagou ao pequeno príncipe.

— O que é "admiração"?

— Admiração é reconhecer que sou o homem mais bonito, mais elegante, mais rico e mais inteligente do planeta.

— Mas você vive sozinho aqui!

— Não me negue esse prazer: seja meu fã assim mesmo!

— Ainda que eu seja seu fã — frisou o pequeno príncipe —, que importância tem isso para você?

E o pequeno príncipe partiu.

"Os adultos decididamente são meio malucos", refletiu o pequeno príncipe ao prosseguir viagem.

12

O planeta seguinte era habitado por um bêbado. Essa visita foi muito breve, mas deixou o pequeno príncipe profundamente triste:

— O que faz aí? — perguntou ao bêbado que se encontrava sentado, em silêncio, diante de uma coleção de garrafas, umas vazias e outras cheias.

— Bebo — retrucou o bêbado com voz truncada.

— Por que bebe?

— Para esquecer — disse o bêbado.

— Esquecer o quê? — insistiu, com pena dele.

— Esquecer a vergonha que sinto — confessou o bêbado abaixando a cabeça.

— Vergonha de quê? — perguntou o pequeno príncipe, disposto a ajudá-lo.

— Vergonha de beber! — concluiu o bêbado, antes de se fechar em completo silêncio.

O pequeno príncipe, perplexo, prosseguiu viagem. "Os adultos são mesmo muito estranhos", disse a si mesmo ao longo da viagem.

13

O quarto planeta era habitado por um homem de negócios. Era um sujeito tão ocupado que sequer ergueu a cabeça quando o pequeno príncipe chegou.

— Bom-dia! — cumprimentou o pequeno príncipe. — Seu cigarro apagou.

— Três mais dois são cinco. Cinco mais sete, doze. Doze mais três, quinze. Bom-dia! Quinze mais sete, vinte e dois. Vinte e dois mais seis, vinte e oito. Não tenho tempo para atendê-lo. Vinte seis mais cinco, trinta e um. Ufa! Isso faz um total de quinhentos milhões, cento e vinte e dois mil, setecentos e trinta e um.

— Quinhentos milhões de quê?

— Como? Você ainda está aqui? Quinhentos milhões de... Esqueci... Trabalho demais! Sou um homem ocupado, não tenho tempo para futilidades. Dois mais cinco, sete...

— Quinhentos milhões de quê? — insistiu o pequeno príncipe, que nunca, em toda sua vida, desistia de uma pergunta depois de fazê-la.

O homem de negócios levantou a cabeça:

— Há cinquenta e quatro anos habito este planeta, e apenas três vezes fui incomodado. A primeira, faz vinte e dois anos, por um besouro que só Deus sabe como veio parar aqui. Ele fazia um tremendo barulho, o que me levou a errar uma soma quatro vezes. A segunda, há onze anos, quando tive uma crise de reumatismo, por falta de exercícios físicos. Sou um homem ocupado, não tenho tempo a perder. A terceira vez... hoje! Retomo os cálculos: quinhentos e um milhões...

— Milhões de quê?

O homem de negócios viu que não teria tranquilidade:

— Milhões dessas pequenas coisas que, de vez em quando, vejo no céu.

— Moscas?

— Nada disso. Coisinhas que brilham.

— Ah, vagalumes?

— Também não. Falo de pontinhos dourados que fazem os preguiçosos sonharem. Como sou muito ocupado, não tenho tempo de sonhar.

— Já sei: estrelas!

— Isso mesmo: estrelas!

— E o que faz com quinhentos milhões de estrelas?

— Quinhentos milhões, seiscentos e vinte e duas mil, setecentas e trinta e uma. Minha seriedade exige precisão.

— E o que faz com tantas estrelas?

— O que faço?

— Sim.

— Nada. São minhas.

— Você é dono das estrelas?

— Isso mesmo.

— Conheci um rei que...

— Os reis não possuem nada. Apenas "reinam" sobre. É bem diferente.

— E para que serve possuir estrelas?

— Isso faz eu me sentir rico.

— E que adianta ser rico?

— Posso comprar mais estrelas que forem localizadas.

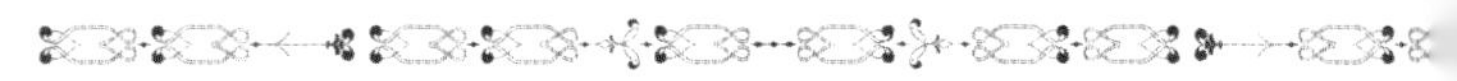

"Esse sujeito" — refletiu o pequeno príncipe — "faz-me lembrar aquele bêbado."

Em seguida, perguntou:

— Como é possível ser dono de estrelas?

— Elas pertencem a quem? — retrucou, exaltado, o homem de negócios.

— Sei lá. A ninguém.

— Então são minhas, pois fui o primeiro a ter essa ideia.

— E basta ter a ideia?

— É claro. Se você encontra um diamante que não é de ninguém, ele lhe pertence. Se encontra uma ilha sem dono, ela é sua. Quando você é o primeiro a ter uma ideia, logo a registra como sua. Sou dono das estrelas porque ninguém, antes de mim, teve a ideia de se apropriar delas.

— Estou de acordo — assentiu o pequeno príncipe. — E o que faz com elas?

— Eu as administro. Conto-as e reconto — disse o homem de negócios. — É difícil, mas sou um sujeito competente!

O pequeno príncipe ainda não estava satisfeito.

— Eu, se tenho um cachecol, posso envolver o pescoço e sair por aí. Se tenho uma flor, posso

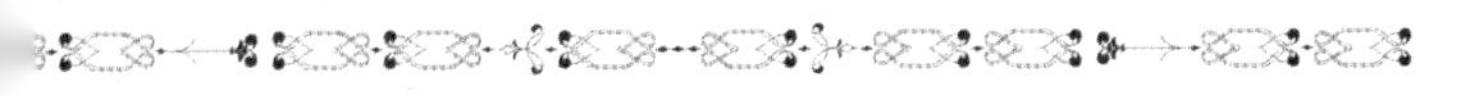

colhê-la e levá-la comigo. Mas é impossível agarrar as estrelas!

— Sei disso. Mas posso depositá-las em um banco.

— Como assim?

— Basta escrever o nome de minhas estrelas em um documento. Depois, tranco na gaveta.

— Basta isso?

— Sim, basta isso.

"É divertido" — pensou o pequeno príncipe. — "É até poético. Mas não merece ser levado a sério."

Sobre coisas sérias o pequeno príncipe tinha ideias bem diferentes das dos adultos.

— Possuo uma flor — explicou o pequeno príncipe —, que rego todos os dias. Tenho três vulcões nos quais faço faxina toda semana. Limpo inclusive um que está extinto. É melhor prevenir. Meus vulcões e minha flor são úteis. Porém, você não pode fazer nada de útil com as estrelas...

O homem de negócios abriu a boca, mas não disse nada. O pequeno príncipe partiu.

"Os adultos são decididamente imprevisíveis" — refletiu o pequeno príncipe enquanto viajava.

14

O quinto planeta era muito curioso. Era o menor de todos. Tinha espaço suficiente para caber um lampião e um homem que o acendia. Para o pequeno príncipe, era impossível entender para que serviriam, perdidos no céu, em um planeta sem casas e sem habitantes, um lampião e um acendedor de lampião. Pôs-se a refletir:

"Esse homem também é maluco. Porém, menos maluco que o rei, o vaidoso, o homem de negócios e o bêbado. Ao menos seu trabalho tem sentido. Quando acende o lampião é como se fizesse nascer mais uma estrela ou uma flor. Quando apaga, faz adormecer a estrela ou a flor. É um belo trabalho. Um trabalho útil, além de belo."

Ao aterrissar no planeta, saudou educadamente o homem do lampião:

— Bom-dia! Por que apagou o lampião?

— É o regulamento. Bom-dia!

— Que regulamento?

— De apagar meu lampião. Boa-noite!

Acendeu de novo o lampião.

— Por que agora o acendeu?

— É o regulamento — disse o acendedor.

— Não consigo entender — queixou-se o pequeno príncipe.

— Não precisa entender — observou. — Regulamento é regulamento. Bom-dia!

E apagou o lampião.

Em seguida, limpou o suor da testa com um lenço xadrez vermelho.

— Faço um trabalho exigente. Outrora era melhor: eu apagava pela manhã e iluminava à noite. Tinha o resto do dia para descansar e a noite toda para dormir...

— Quer dizer que o regulamento mudou?

— Não mudou — lamentou. — Esse é o problema: a cada ano o planeta gira mais depressa, e, no entanto, o regulamento é sempre o mesmo.

— Nossa! — exclamou o pequeno príncipe.

— Agora ele dá uma volta completa a cada minuto. Não dá tempo para eu descansar. Acendo e apago a cada minuto!

— Que engraçado! Aqui cada dia dura apenas um minuto!

— Isso nada tem de engraçado — retrucou o homem. — Já faz um mês que estamos aqui conversando.

— Um mês?

— Sim, trinta minutos, trinta dias! Boa-noite!

E acendeu o lampião.

O pequeno príncipe simpatizou com o homem do lampião tão fiel ao regulamento. Lembrou-se de quando, ao virar a cadeira, podia contemplar várias vezes o pôr do sol. Quis ajudar seu novo amigo:

— Ora, sei como você pode descansar quando quiser.

— Eu sempre quero — frisou o homem do lampião.

As pessoas podem ser ao mesmo tempo trabalhadoras e preguiçosas.

O pequeno príncipe continuou:

— Seu planeta é tão pequeno que você o percorre todo com apenas três passos. Basta andar bem devagar e ficar sempre sob o Sol. Quando cansar, ande... e o dia durará o tempo que você quiser.

— Não vai adiantar nada — admitiu o homem do lampião. — O que mais gosto de fazer na vida é dormir.

— Então, não há solução — lamentou o pequeno príncipe.

— Não há o que fazer. Bom-dia!

E apagou o lampião.

"Esse sujeito" — pensou o pequeno príncipe ao continuar sua viagem — "seria desprezado por todos que conheci: o rei, o vaidoso, o bêbado e o homem de negócios. Contudo, é o único que não me pareceu ridículo. Talvez porque não se ocupa apenas consigo mesmo."

Deu um longo suspiro e concluiu para si mesmo:

"Esse era o único que poderia ser meu amigo. Mas vive em um planeta quase sem espaço. Mal cabe nele uma só pessoa..."

O que o pequeno príncipe não quis admitir nem para si mesmo é que lamentava deixar aquele abençoado planeta, no qual, a cada vinte e quatro horas, o pôr do sol ocorria mil, quatrocentas e quarenta vezes!

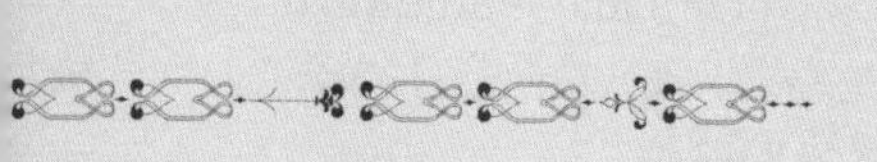

15

O sexto planeta era dez vezes maior, habitado por um velho que escrevia livros enormes.

— Vejam! Eis que chega um explorador! — exclamou o velho ao avistar o pequeno príncipe.

O pequeno príncipe, ofegante, sentou-se à mesa. Estava fatigado de tanto viajar!

— De onde vem você? — indagou o escritor.

— Que livro grande é este? — quis saber o pequeno príncipe. — O que o senhor faz?

— Sou geógrafo — informou o velho.

— O que é um geógrafo?

— É um estudioso que conhece onde se encontram os mares, os rios, as cidades, as montanhas, os desertos.

— Muito interessante — admitiu o pequeno príncipe. — Eis, enfim, uma importante profissão!

Deu uma olhada em volta, interessado no planeta do geógrafo. Jamais havia visto um planeta tão maravilhoso.

— É lindo seu planeta. Aqui há oceanos?

— Não sei dizer — respondeu o geógrafo.

— Ah! — O pequeno príncipe estava desapontado. — E montanhas?

— Também não sei — repetiu o geógrafo.

— E cidades, rios, desertos?

— Não tenho a menor ideia — insistiu o geógrafo.

— Mas o senhor não é geógrafo?

— Sim, sou — confirmou o velho. — Mas não sou explorador. Necessito de exploradores. Não cabe ao geógrafo contar cidades, rios, montanhas, mares, oceanos e desertos. Ser geógrafo é importante demais para cuidar desse tipo de tarefa. Não saio do meu escritório. Porém, recebo exploradores, converso com eles, anoto suas pesquisas. E se a pesquisa de um deles me parecer importante, procuro saber se o explorador falou a verdade.

— Por que isso?

— Ora, um explorador que mente causa grande estrago nos livros de geografia. Como também um explorador que bebe muito.

— Mas, por quê? — insistiu o pequeno príncipe.

— Porque os bêbados veem as coisas em dobro. O geógrafo registraria que havia duas montanhas quando, de fato, só haveria uma.

— Conheço alguém — disse o pequeno príncipe — que seria um péssimo explorador.

— Acredito no que diz. Quando a palavra do explorador é convincente, pesquiso sua descoberta.

— Vai até lá conferir?

— De jeito nenhum. Seria muito complicado. Apenas exijo que o explorador apresente provas. Quando se trata, por exemplo, de uma grande montanha, quero que me mostre pedras enormes.

Súbito, o geógrafo se animou.

— Vejo que você veio de longe! Com certeza é um explorador! Descreva-me seu planeta!

O geógrafo abriu seu caderno de anotações e apontou o lápis. Relatos de exploradores são, primeiro, registrados a lápis. Só quando apresentadas as provas é que são registrados a caneta.

— E então? — indagou o geógrafo.

— Ora, onde moro — contou o pequeno príncipe — não há nada interessante. É um lugar pequeno. Há três vulcões, dois em atividade e um extinto. Contudo, nunca se sabe...

— É, nunca se sabe — ecoou o geógrafo.

— Tenho também uma flor.

— Não registramos flores — informou o geógrafo.

— Por que não? Ela é linda!

— Porque as flores são efêmeras.

— O que significa "efêmera"?

— Os livros de geografia — frisou o geógrafo — são os mais sérios que existem. Jamais ficam ultrapassados. É raríssimo uma montanha mudar de lugar. É quase impossível um oceano secar. Registramos fenômenos eternos.

— Entretanto, os vulcões extintos podem despertar — ponderou o pequeno príncipe. — O que significa "efêmera"?

— Que os vulcões estejam extintos ou em ebulição, isso para nós pouco importa — afirmou o geógrafo. — Importante para nós são as montanhas. Elas nunca mudam.

— Então, o que significa "efêmera"? — insistiu o pequeno príncipe que, em toda sua vida, jamais admitia que uma pergunta sua ficasse sem resposta.

— Significa "que logo vai desaparecer".

— Minha flor vai desaparecer logo?

— Não tenho a menor dúvida.

"Minha flor é efêmera" — refletiu o pequeno príncipe —, "e ela possui apenas quatro espinhos para se defender das ameaças! E eu a abandonei sozinha em meu planeta!"

Ele se sentiu tomado pelo sentimento de culpa. Logo se animou de novo:

— Qual planeta você me aconselha visitar? — perguntou.

— O planeta Terra — retrucou o geógrafo. — Goza de boa fama...

O pequeno príncipe partiu, preocupado com sua flor.

16

hegou, então, ao sétimo planeta: a Terra.

A Terra não é um planeta qualquer. Ela abriga cento e onze reis (claro, sem esquecer os reis negros), sete mil geógrafos, novecentos mil homens de negócio, sete milhões e meio de beberrões, trezentos e onze milhões de vaidosos — enfim, cerca de sete bilhões de adultos.

Para vocês terem uma ideia do tamanho da Terra, saibam que, antes da invenção da eletricidade, tínhamos que manter nos seis continentes um verdadeiro exército de quatrocentos e sessenta e dois mil, quinhentos e onze especialistas em acender lampiões.

Visto à distância, isso causava um efeito fantástico. Os movimentos daquele exército eram sincronizados como se fosse um balé. Primeiro, apareciam os acendedores de lampião da Nova Zelândia e da Austrália. Após acenderem seus lampiões, iam dormir. Em seguida, entravam em cena os acendedores de lampiões da China e da Sibéria. Logo, também se recolhiam aos bastidores. Ingressavam os acendedores de lampiões da Rússia e da Índia, seguidos pelos da África e da Europa, que, por sua vez, cediam lugar aos da América do Sul e aos da América do Norte. Nunca se equivocavam quanto à ordem de entrada em cena. Era deslumbrante.

Apenas o acendedor do único lampião do Polo Norte, e seu colega de trabalho, o único acendedor do Polo Sul, ficavam na ociosidade, despreocupados: trabalhavam apenas duas vezes por ano.

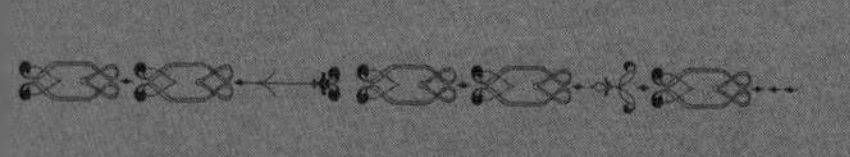

17

Quando queremos agradar, às vezes mentimos um pouco. Não fui muito justo em relação aos acendedores de lampiões. Posso ter dado uma falsa ideia do nosso planeta àqueles que não o conhecem. Homens e mulheres ocupam pouco espaço na Terra. Se os sete bilhões de pessoas que povoam a Terra ficassem em pé, colados uns aos outros, como em um *show*, lotariam facilmente um campo de alguns quilômetros de comprimento por outro tanto de largura. Toda a humanidade poderia caber em uma única ilha do Pacífico.

Os adultos, com certeza, não
acreditam nisso. Imaginam que
ocupam um espaço muito maior.
Julgam-se tão importantes como os
baobás. Convém aconselhá-
-los a fazer os cálculos.
Adultos adoram cifras.
Encontram prazer
nelas. Mas vocês, não
percam tempo com
isso, não vale a pena.
Confiem em mim.

Ao chegar à Terra, o pequeno príncipe se surpreendeu por não avistar ninguém. Teve medo de haver se enganado de planeta, quando um anel da cor da lua se moveu na areia.

— Boa-noite! — saudou o pequeno príncipe.

— Boa-noite! — retrucou a serpente.

— Em que planeta me encontro? — perguntou.

— Na Terra, na África — precisou a serpente.

— Sim... e não há ninguém na Terra?

— Estamos no deserto. Ninguém habita desertos. A Terra é muito extensa — explicou a serpente.

O pequeno príncipe sentou-se em uma pedra e ergueu os olhos ao céu:

— Eu me pergunto — falou — se as estrelas brilham para que, um dia, cada pessoa possa encontrar a sua. Observe meu planeta. Está bem acima de nós... e, no entanto, como fica distante!

— Seu planeta é lindo — observou a serpente. — O que veio fazer aqui?

— Tive problemas com uma flor — desabafou o pequeno príncipe.

— Entendo... — suspirou a serpente.

Ficaram calados por um tempo.

— Onde estão as pessoas? — insistiu o pequeno príncipe. — A gente se sente um pouco só no deserto...

— Há solidão também quando se está entre as pessoas — filosofou a serpente.

O pequeno príncipe fitou-a com atenção:

— Você é um bichinho engraçado — comentou —, fino como um dedo...

— Porém, sou mais poderosa que o dedo de um rei — vangloriou-se a serpente.

O pequeno príncipe sorriu:

— Poderosa como? Você nem patas tem... Nem sequer pode viajar...

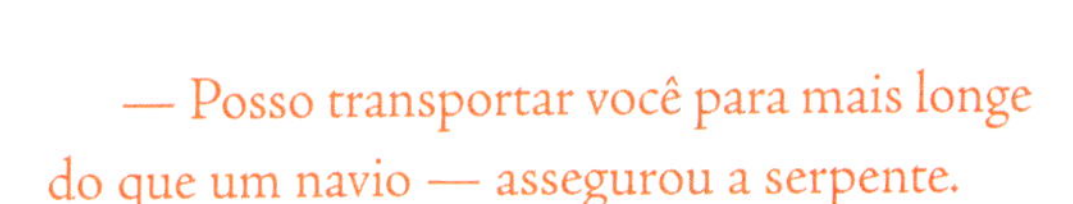

— Posso transportar você para mais longe do que um navio — assegurou a serpente.

Ela se enroscou em volta do tornozelo do pequeno príncipe, como um bracelete de ouro:

— Se pico uma pessoa, faço-a retornar à terra, de onde veio... — gabou-se. — Você, porém, é puro e veio de uma estrela...

O pequeno príncipe não reagiu.

— Tenho pena de vê-lo tão frágil neste mundo complicado. Se quiser, um dia o ajudo a retornar ao seu planeta. Tenho poder para isso...

— Sim, sou grato a você — disse o pequeno príncipe —, mas por que fala sempre por enigmas?

— Posso elucidar todos os enigmas — garantiu a serpente.

Nada mais disseram.

18

Ao atravessar o deserto, o pequeno príncipe encontrou apenas uma flor. Uma flor com três pétalas, uma flor à toa...

— Bom-dia! — cumprimentou-a.

— Bom-dia! — respondeu a flor.

— Onde estão as pessoas? — indagou polidamente o pequeno príncipe.

Havia tempos que a flor vira passar uma caravana:

— As pessoas? Creio que existem apenas seis ou sete. Eu as vi faz anos. Não tenho a menor ideia de onde estão. São tocadas pelo vento. Como não têm raízes, isso cria problemas.

— Adeus! — despediu-se o pequeno príncipe.

— Adeus! — retrucou a flor.

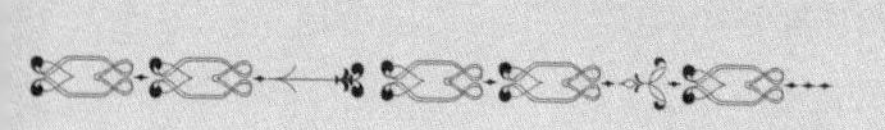

19

O pequeno príncipe escalou uma montanha bem alta. As únicas montanhas que conhecera eram os três vulcões, que mal chegavam a seus joelhos. Ele utilizava o vulcão extinto como banquinho.

"Do alto desta montanha" — pensou — "poderei avistar todo o planeta, com seus habitantes...". Porém, viu apenas picos pontudos como agulhas.

— Bom-dia! — cumprimentou ao chegar ao cume.

— Bom-dia... Bom-dia... Bom-dia... — respondeu o eco.

— Quem é você? — indagou o pequeno príncipe.

— Quem é você... Quem é você... Quem é você... — ecoou o som.

— Procuro amigos. Estou sozinho.

— Estou sozinho... Estou sozinho... Estou sozinho... — repercutiu o eco.

"Que planeta estranho!" — refletiu. "É completamente seco, cheio de picos e areia. E falta criatividade às pessoas. Apenas repetem o que dizemos... Em meu planeta há uma flor: ela sempre fala primeiro...".

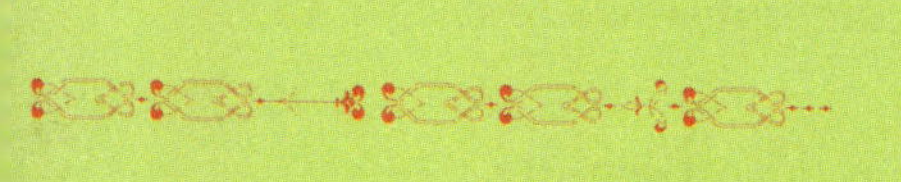

20

Felizmente, o pequeno príncipe, após longa viagem através do deserto, das montanhas e da neve, encontrou uma estrada. E estradas sempre conduzem a pessoas.

— Bom-dia! — cumprimentou.

Era um jardim florido de rosas.

— Bom-dia! — retrucaram as rosas.

O pequeno príncipe observou-as. Eram parecidas com sua flor.

— Quem são vocês? — indagou, encantado.

— Somos rosas — disseram as rosas.

— Ah! — suspirou o pequeno príncipe.

Ele se sentiu incomodado. Sua flor havia dito que ela era a única de sua espécie em todo o Universo. E eis que ele se deparava com cinco mil, todas parecidas, em um único jardim!

"Ela ficaria envergonhada" — pensou — "se visse isso... Começaria a tossir fortemente, como quem vai morrer, para se livrar do ridículo. E eu me sentiria no dever de cuidar dela, pois, do contrário, ela seria capaz de morrer de verdade só para me humilhar...".

E prosseguiu em sua reflexão: "Eu me julgava importante por possuir uma flor inigualável. Agora me dou conta de que se trata de uma rosa como outra qualquer. Aquela flor, e meus três vulcões, que não chegam à altura de meus joelhos, sendo que um está definitivamente extinto, não fazem de mim um príncipe importante...".

Deitado no jardim, ele chorou.

21

oi então que apareceu a raposa:

— Bom-dia! — cumprimentou a raposa.

— Bom-dia! — retrucou educadamente o pequeno príncipe.

Olhou em volta e não viu ninguém.

— Estou aqui, debaixo da macieira — disse a voz.

— Quem é você? — perguntou ele. — Como é bonita...

— Sou uma raposa — disse ela.

— Venha brincar comigo — suplicou o pequeno príncipe. — Estou muito triste...

— Não posso brincar com você — afirmou a raposa. — Ninguém ainda me cativou.

— Ah, desculpe!

Após uma pausa, indagou:

— O que significa "cativar"?

— Vejo que você não é daqui — comentou a raposa. — O que procura?

— Procuro pessoas. O que significa "cativar"?

— As pessoas — revelou a raposa — possuem armas e caçam. É assustador! Também criam galinhas. Só se interessam por isso. Você procura galinhas?

— Não — reagiu o pequeno príncipe. — Procuro amigos. O que significa "cativar"?

— Já ninguém dá importância a isso — lamentou a raposa. — "Cativar" significa criar vínculos...

— Criar vínculos?

— Exatamente — frisou a raposa. — Você, para mim, não passa de uma criança igual a milhares de outras crianças. Não preciso de você. E você também não precisa de mim. Para você, sou apenas uma raposa semelhante a milhares de outras raposas. Porém, se me cativar, sentiremos necessidade um do outro. Você será único no mundo para mim. E eu serei única no mundo para você...

— Começo a entender — murmurou o pequeno príncipe. — Existe uma flor... creio que ela me cativou...

— É bem possível — concordou a raposa. — Aqui na Terra há de tudo...

— Não, não é aqui na Terra — exclamou o pequeno príncipe.

A raposa fitou-o, intrigada:

— É em outro planeta?

— Sim.

— Nesse outro planeta existem caçadores?

— Não.

— Que curioso! E galinhas?

— Também não.

— Nada é perfeito — suspirou a raposa.

A raposa logo retomou o assunto:

— Tenho uma vida monótona. Caço galinhas e os homens me caçam. Todas as

galinhas são parecidas e todos os homens também se parecem. Isso me aborrece um pouco. Mas se você me cativar, minha vida ficará iluminada. Serei capaz de distinguir o ruído de seus passos do ruído de todos os outros passos. Os outros me obrigarão a me esconder num buraco. Já seus passos me farão sair do buraco, parecerão uma música convidativa. Olhe! Vê lá adiante os campos de trigo? Eu não como pão. Para mim o trigo é inútil. Campos de trigo nada significam para mim. E isso é triste! Mas seus cabelos são dourados. Seria encantador você me cativar!
O trigo, que também é dourado, me fará lembrar de você. E me deliciarei com o afago do vento nas espigas de trigo...

A raposa se calou e ficou admirando o pequeno príncipe:

— Por favor... cative-me! — suplicou.

— Bem que eu gostaria — reagiu o pequeno príncipe —, mas não disponho de tempo. Devo fazer amigos e ainda conhecer muita coisa.

— Só se conhece bem o que se cativa — observou a raposa. — As pessoas já não têm tempo de conhecer nada. Preferem comprar tudo pronto nas lojas. Como não existem lojas que vendem amigos, as pessoas não têm mais amigos. Se quer um amigo, trate de me cativar!

— E o que devo fazer? — disse o pequeno príncipe.

— Deve ser paciente — aconselhou a raposa. — Fique sentado assim no jardim, a certa distância de mim. Olharei para você com o canto do olho e você não dirá nada. A linguagem é um poço de mal-entendidos. Mas, a cada dia, você se aproximará mais de mim...

No dia seguinte, o pequeno príncipe retornou.

— Seria melhor você retornar na mesma hora — queixou-se a raposa. — Se sei que você virá, por exemplo, às quatro da tarde, às três já começarei a me sentir feliz. E quanto mais a hora avançar, mais feliz ficarei. Às quatro em ponto, toda animada, provarei o sabor da felicidade! Porém, se você não disser a que horas virá, não poderei preparar meu coração... É preciso manter certo ritual.

— O que é "ritual"? — indagou o pequeno príncipe.

— É algo que também anda muito esquecido — lamentou a raposa. — É o que faz um dia ser diferente do outro; uma hora diferente das outras horas. Por exemplo,

há um ritual adotado pelos homens que me caçam. Nas quintas-feiras, eles dançam com as moças da aldeia. Então a quinta-feira é, para mim, um dia maravilhoso! Posso passear entre as parreiras de uvas. Se os caçadores não tivessem dia certo para dançar, os dias seriam todos iguais e eu não saberia quando passear.

Assim, o pequeno príncipe cativou a raposa. Até que chegou a hora de partir.

— Ah... — murmurou a raposa —, vou chorar.

— A culpa é sua — disse o pequeno príncipe. — Eu não queria magoá-la, mas você insistiu que eu a cativasse...

— Você tem razão — confirmou a raposa.

— E vai chorar?

— Vou, sim.

— Isso significa que não foi bom nosso encontro?

— Foi bom — reconheceu a raposa —, por causa da cor do trigo.

E acrescentou:

— Vá ver de novo as rosas. Você concluirá que a sua é única no mundo. Quando vier se despedir, vou presentear-lhe com um segredo.

O pequeno príncipe foi rever as rosas.

— Vocês não se parecem com minha rosa, não têm nada a ver com ela — disse ele. — Ninguém as cativou, e vocês não cativaram ninguém. Vocês são como era minha raposa, parecida a milhares de outras raposas. Mas agora somos amigos, e a reconheço como única no mundo.

As rosas ficaram chateadas.

— Vocês são belas, mas sem conteúdo — disse a elas. — Ninguém está disposto a morrer por vocês. Com certeza, alguém que passe por aqui pode achar que

vocês e minha rosa se parecem. Mas ela é especial, é para mim mais importante que vocês, pois tratei de regá-la, de protegê-la na redoma de vidro, de abrigá-la com o biombo. Por ela matei as larvas (exceto duas ou três, por causa das borboletas). Eu a vi se queixar e se alegrar, ou mesmo se calar às vezes. Porque é a minha rosa.

Virou-se para a raposa:

— Adeus!

— Adeus! — retrucou a raposa. — Eis meu segredo. É muito simples: só se vê bem com o coração. O essencial é invisível aos olhos.

— O essencial é invisível aos olhos — repetiu o pequeno príncipe para memorizar.

— É o cuidado que você dedicou a sua rosa que a faz tão especial.

— O cuidado que dediquei a minha rosa... — repetiu ele para gravar na lembrança.

— As pessoas esquecem essa verdade — frisou a raposa. — Mas você não deve esquecê-la. Você se torna eternamente responsável por aquilo que cativa. É responsável por sua rosa...

— Sou responsável por minha rosa... — repetiu o pequeno príncipe a fim de jamais esquecer.

22

— Bom-dia! — cumprimentou o pequeno príncipe.

— Bom-dia! — disse o despachante.

— O que você faz?

— Organizo os viajantes em grupos de mil — explicou. — Indico os trens nos quais devem embarcar, se é no da direita ou no da esquerda.

Um trem todo iluminado, ruidoso como um trovão, fez estremecer a cabine do despachante.

— Eles são velozes — observou o pequeno príncipe. — Por que correm tanto?

— Nem o maquinista sabe — admitiu o despachante.

Logo, em sentido inverso, passou velozmente outro trem, todo iluminado.

— Aquele trem já está de regresso? — perguntou o pequeno príncipe.

— Não é o mesmo trem. Esse é outro.

— Eles nunca estão satisfeitos num lugar?

— A gente nunca se contenta com o lugar em que se encontra — disse o despachante.

Com forte estrondo passou rápido, todo iluminado, um terceiro trem.

— Eles se preocupam em conduzir rápido os passageiros? — indagou o pequeno príncipe.

— Não se preocupam com coisa alguma. Lá dentro, os passageiros bocejam ou dormem. Apenas as crianças espremem o nariz no vidro das janelas.

— Só as crianças sabem o que querem — afirmou o pequeno príncipe. — São capazes de perder tempo cuidando de uma boneca de trapos, e isso é tão importante para elas que, se alguém tira delas a boneca, elas choram...

— Elas é que são felizes — admitiu.

23

— om-dia! — cumprimentou o pequeno príncipe.

— Bom-dia! — retribuiu o vendedor.

O homem vendia pílulas destinadas a amenizar a sede. Faziam efeito durante uma semana, e nesses sete dias não se sentia necessidade de beber água.

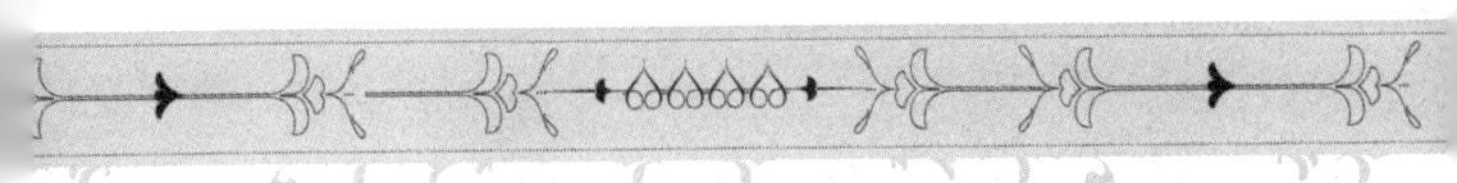

— Por que vende essas pílulas? — indagou o pequeno príncipe.

— Para que se possa economizar tempo — explicou o vendedor. — Os pesquisadores já fizeram os cálculos: graças a elas se economizam cinquenta e três minutos por semana.

— E o que se faz nesses cinquenta e três minutos?

— Aproveita-se para fazer qualquer outra coisa.

"Se eu tivesse cinquenta e três minutos para gastar" — refletiu o pequeno príncipe —, "calmamente caminharia rumo a uma fonte de água..."

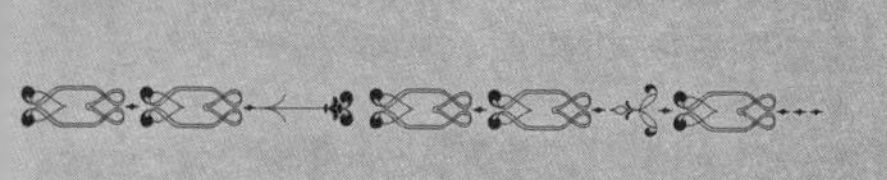

24

Estávamos no oitavo dia de minha pane no deserto, e ao escutar a história do vendedor, bebi a última gota de minha provisão de água:

— Ah — falei ao pequeno príncipe —, são muito interessantes essas suas recordações, porém, ainda não consertei meu avião, estou sem água para beber, e eu também ficaria muito feliz se pudesse me dirigir tranquilamente a uma fonte de água.

— Minha amiga raposa... — disse ele.

— Querido amiguinho, não estou interessado em raposas!

— Por que não?

— Porque corro o risco de morrer de sede...

Incapaz de entender o motivo de minha preocupação, ele disse:

— É muito bom ter tido um amigo, ainda que morramos. Sinto-me muito feliz por ter uma raposa como amiga...

"Ele não tem ideia do risco que corro" — refleti. "Jamais passou fome ou sede. Basta-lhe um pouco de Sol..."

Ele me fitou e disse, como se houvesse adivinhado meu pensamento:

— Também tenho sede... Vamos procurar um poço...

Senti-me desanimado: era absurdo caminhar sem rumo na imensidão do deserto em busca de um poço. Contudo, saímos a procurá-lo.

Após duas horas de caminhada em silêncio, caiu a noite e as estrelas começaram a brilhar. Contemplei-as, admirado, sentindo um pouco de febre por causa da sede. As palavras do pequeno príncipe ressoavam em minha memória:

— Você também tem sede? — perguntei.

Ele não me respondeu. Apenas me disse:

— A água faz bem ao coração...

Não entendi bem seu comentário. Fiquei calado... Sabia que o melhor era não perguntar nada.

Ele estava cansado. Sentou-se, e me sentei próximo a ele. Após um momento de silêncio, falou:

— As estrelas são bonitas, e isso por causa de uma flor invisível aos olhos...

Murmurei:

— É verdade.

E, em silêncio, ficou observando as ondulações da areia sob a lua.

— O deserto é majestoso — observou.

De fato. Sempre adorei o deserto, onde se pode sentar sobre uma duna de areia, não se vê ninguém, nem se escuta nada. E, no entanto, o silêncio é vibrante...

— O que torna o deserto encantador — observou o pequeno príncipe — é que ele esconde um poço de água em algum lugar...

Surpreendi-me ao entender, subitamente, as misteriosas irradiações da areia. Na infância, morei em uma velha casa na qual, segundo a lenda, havia um tesouro escondido. Nunca foi descoberto, ninguém jamais o

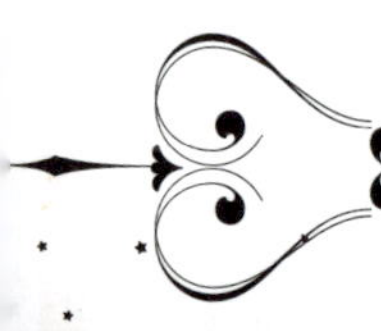

encontrou. Mas ele encantava aquela casa. Minha casa escondia um segredo no fundo de seu coração...

— Estou de acordo — disse o pequeno príncipe. — Seja a casa, as estrelas ou o deserto, o que imprime beleza é invisível! Fico feliz em saber que você concorda com minha raposa.

Como o pequeno príncipe adormeceu, tomei-o em meus braços e prossegui viagem. Eu estava comovido. Era como se levasse um tesouro frágil. Deu-me a impressão de que não havia nada mais frágil na face da Terra. Contemplei, à luz da lua, seu rosto suave, seus olhos fechados, as mechas de seu cabelo sopradas pelo vento, e pensei: "O que vejo é apenas uma casca. O essencial é invisível...".

Como em seus lábios entreabertos pairava um meio sorriso, refleti ainda: "O que me comove profundamente neste pequeno príncipe adormecido é sua fidelidade a uma flor, à imagem de uma rosa que brilha nele como a chama de uma lamparina, mesmo quando ele dorme...". E o senti mais frágil ainda. É preciso proteger bem as lamparinas: o sopro do vento pode apagá-las...

E, caminhando, descobri o poço ao amanhecer.

25

— s pessoas — comentou o pequeno príncipe — embarcam nos trens, mas não sabem o que procuram. Por isso se estressam e ficam perdidas...

E acrescentou:

— E isso não leva a nada.

O poço que encontramos em nada se parecia aos poços do Saara. Os poços do Saara são simples buracos cavados na areia. Aquele parecia um poço de aldeia. Porém, ali não havia nenhuma aldeia, era como se eu estivesse sonhando acordado.

— É estranho — falei ao pequeno príncipe —, tudo está preparado: a roldana, o balde, a corda...

Ele sorriu, e segurando a corda, fez girar a roldana. Ela gemeu como um velho cata-vento que havia muito tempo não era afagado pelo sopro do vento.

— Você escuta? — perguntou o pequeno príncipe. — Acordamos este poço e ele canta...

Eu não queria que ele fizesse muito esforço:

— Deixe que eu puxo a água — disse a ele. — É muito pesado para você.

Aos poucos, ergui o balde até a borda do poço. Segurei-o com firmeza. Em meus ouvidos ressoava o canto da roldana, e na água ainda trêmula, eu via o Sol dançar.

— Tenho sede — disse o pequeno príncipe. — Dê-me de beber.

Compreendi, então, o que buscava!

Ergui o balde à altura de sua boca. Ele fechou os olhos e bebeu. Tinha gosto de festa. Aquela água era muito mais que um alimento. Ela brotara de nossa caminhada sob as estrelas, do canto da roldana, do esforço de meus braços. Como um presente, nutria o coração. Quando eu era criança, as luzes da árvore de Natal, a música da missa da meia-noite, a doçura dos sorrisos, faziam o encanto dos presentes de Natal que eu ganhava.

— As pessoas do seu planeta — observou o pequeno príncipe — cultivam cinco mil rosas em um mesmo jardim… e não encontram ali o que procuram.

— É verdade… — concordei.

— E, no entanto, o que procuram pode ser encontrado em uma única rosa ou em um gole de água…

— Você tem razão — falei.

O pequeno príncipe acrescentou:

— Os olhos são cegos. É preciso ver com o coração.

Matei a sede, e já podia respirar normalmente. A areia, ao amanhecer, tinha a cor do mel. Aquela cor costumava me alegrar. E, no entanto, por que me sentia triste?

— Você precisa cumprir sua promessa — lembrou o pequeno príncipe ao novamente se sentar perto de mim.

— Que promessa?

— Não lembra? Uma focinheira para meu carneiro… Sou responsável por minha flor!

Tirei do bolso os esboços do desenho. O pequeno príncipe os observou e disse, sorrindo:

— Seus baobás mais parecem repolhos...

— Oh!

Eu caprichara aos desenhar os baobás!

— Sua raposa... as orelhas dela... mais parecem chifres... são compridas demais!

Ele sorriu de novo.

— Não seja injusto, meu amigo. Sei desenhar apenas jiboias vistas por dentro e jiboias vistas por fora.

— Não se preocupe — disse ele. — As crianças entenderão.

Desenhei então a focinheira. Ao entregá-la, senti um aperto no coração:

— Você tem planos que desconheço...

Ele não me respondeu. Apenas disse:

— Lembra quando cheguei à Terra? Amanhã faz aniversário...

Após breve silêncio, ele acrescentou:

— Cheguei bem perto daqui...

E enrubesceu.

De novo, sem nenhum motivo, eu me senti triste. Perguntei a ele:

— Então, não foi por acaso que, na manhã em que o conheci, há oito dias, você caminhava solitariamente, distante milhares de quilômetros de qualquer região habitada! Você queria retornar ao ponto em que chegou à Terra?

O pequeno príncipe ficou de novo encabulado.

Hesitante, acrescentei:

— Por causa do aniversário?

O pequeno príncipe ficou ainda mais encabulado. Não respondeu à minha pergunta, mas quando a pessoa enrubesce é sinal de "sim", não é mesmo?

— Sabe? Tenho medo — confessei a ele.

Ele observou:

— Agora você precisa trabalhar. Consertar seu avião. Fico esperando aqui. Volte amanhã à noite...

Não fiquei tranquilo. Lembrei-me da raposa. Corremos o risco de chorar um pouco quando nos deixamos cativar...

26

Ao lado do poço havia a ruína de um antigo muro de pedra. Quando, no fim da tarde, retornei do trabalho, avistei de longe o pequeno príncipe sentado no alto do muro, balançando as pernas. Escutei o que dizia:

— Você não se lembra? Não foi exatamente aqui! — ele falou.

Com certeza outra voz lhe respondeu. Ele replicou:

— Sim, sim, o dia com certeza foi este, mas não aqui.

Fui em direção ao muro. Não vi nem ouvi ninguém além dele. O pequeno príncipe falou novamente:

— Tenho certeza. Você verá onde começam as marcas de meus pés na areia. Aguarde-me. Estarei lá esta noite...

Eu estava a vinte metros do muro e continuava sem ver ninguém.

Após uma pausa, o pequeno príncipe acrescentou:

— Seu veneno é dos bons? Tem certeza de que não vou sofrer?

Parei, com o coração apertado, e ainda sem entender nada.

— Agora vá embora — disse ele. — Quero descer!

Quando olhei para a base do muro, dei um pulo! Aos pés dele erguia-se uma dessas serpentes amarelas capazes de matar em trinta segundos. Enfiei a mão no bolso para sacar meu revólver e me apressei, mas o ruído de meus passos fez que a serpente, ao perceber minha aproximação, deslizasse sutilmente engolida pela areia, como um jato de água que cessa. Sem nenhuma pressa, ela se enfiou entre as pedras, fazendo tinir seu chocalho. Cheguei ao muro a tempo de tomar em meus braços o pequeno príncipe. Ele estava pálido como a neve.

— Que história é essa? Agora fala com serpentes?

Afrouxei o lenço dourado que ele sempre usava enrolado no pescoço. Molhei sua testa e dei-lhe água. Já não tinha coragem de lhe perguntar nada. Ele me fitou e enroscou seus braços em meu pescoço. Senti seu coração bater de encontro ao meu, como o de um pássaro agonizante, abatido por um tiro de espingarda. Ele me disse:

— Fico feliz por você ter consertado o avião. Agora poderá voltar para casa...

— Como sabe disso?

Eu havia ido exatamente lhe contar que, contra toda expectativa, eu havia terminado o conserto!

Ele não respondeu à minha pergunta. Apenas disse:

— Também retorno hoje a minha casa...

E em tom melancólico:

— Ela fica bem longe... Será mais difícil...

Senti que acontecia algo extraordinário. Apertei-o em meus braços como se fosse um bebê, e, no entanto, parecia que ele deslizava verticalmente num abismo sem que eu pudesse evitar...

Ele tinha o olhar fixo, perdido ao longe:

— Tenho o carneiro que você me deu. E a caixa para guardá-lo. Levo também a focinheira...

Ele sorriu, um pouco triste.

Aguardei certo tempo. Senti que ele se animava aos poucos:

— Meu amigo, você teve medo...

Com certeza teve medo! Porém, ele riu com doçura:

— Terei mais medo esta noite...

De novo, fiquei arrasado, com um sentimento de impotência. Era insuportável pensar que eu jamais veria de novo aquele sorriso. Para mim, era como uma fonte em pleno deserto.

— Meu querido amigo, quero ver novamente seu sorriso...

Ele disse:

— Esta noite completará um ano. Meu planeta se posicionará exatamente sobre o local no qual cheguei à Terra ano passado...

— Querido amigo, será que não foi tudo um sonho essa história de serpente, de nosso encontro, de planetas?

Ele não me respondeu. Apenas disse:

— O essencial é invisível aos olhos...

— Sim, eu sei...

— É o caso da flor. Se você ama uma flor que se encontra em uma estrela, como é bom olhar o céu à noite! Todas as estrelas parecem floridas!

— É verdade...

— Como aquela água. A água que me deu para beber foi como uma música por causa do som da corda na roldana.Você lembra? Era deliciosa.

— Lembro, sim.

— À noite, você contemplará as estrelas. Meu planeta é muito pequeno para que consiga avistá-lo. É melhor assim. Para você, qualquer estrela poderá ser a minha. De modo que ficará feliz em olhá-las... e saber que são suas amigas. Eu lhe darei um presente...

Ele sorriu de novo.

— Ah, meu querido amigo, como adoro seu sorriso!

— Esse é exatamente meu presente... Será como a água...

— Não entendi bem.

— As pessoas olham as estrelas de modo diferente. Para os viajantes, elas servem de guia. Para outros, são apenas pequenas luzes. Para os cientistas, são desafios.

Para o homem de negócios, são feitas de ouro. Mas as estrelas se calam. Você, porém, terá estrelas como ninguém nunca teve...

— Explique melhor.

— Quando à noite olhar o céu, estarei em uma estrela sorrindo para você. Todas as estrelas estarão sorrindo para você. E você contemplará estrelas que sorriem!

Ele também sorriu.

— E quando estiver conformado (as pessoas se conformam sempre), ficará contente por ter me conhecido. Você sempre será meu amigo. Terá vontade de rir comigo. E abrirá a janela por este simples prazer... E seus amigos ficarão surpresos ao vê-lo sorrir ao olhar para o céu. Então, dirá a eles: "Sim, as estrelas me fazem rir!". Eles pensarão que você enlouqueceu. É um segredo que fica entre nós.

Sorriu novamente.

— É como se eu lhe tivesse dado, em vez de estrelas, sininhos que sorriem...

O pequeno príncipe deu outra risada, e, a seguir, ficou sério:

— Esta noite... por favor... não venha.

— Não abandonarei você.

— Por estar sofrendo... darei a impressão de que vou morrer. É sempre assim. Por isso, não venha, não vale a pena...

— Não vou abandoná-lo.

Ele se mostrava preocupado.

— Se lhe peço isso é também por causa da serpente. Para que não morda você... As serpentes são traiçoeiras. Mordem por prazer...

— Não quero abandoná-lo.

Isso o tranquilizou:

— Sabia que elas não têm veneno suficiente para uma segunda picada?

Não vi quando ele partiu naquela noite. Saiu sem fazer ruído. Quando o alcancei, caminhava rápido. Apenas me disse:

— Ah, você aqui?

Segurou minha mão. Porém, continuava preocupado:

— Você não devia ter vindo. Não vale a pena. Darei a impressão de morrer, mas será só impressão...

Fiquei calado.

— Entenda-me: é muito distante. Não posso levar este corpo. Pesa demais.

Continuei em silêncio.

— Será como uma velha concha abandonada. Não há nada de triste nas velhas conchas...

Permaneci calado.

Embora um pouco desanimado, ele ainda murmurou:

— Será lindo, com certeza. Também olharei as estrelas. Todas serão, para mim, como poços com uma roldana enferrujada... Todas matarão minha sede...

Continuei sem nada dizer.

— Vai ser divertido! Você verá quinhentos milhões de sininhos; eu verei quinhentos milhões de poços...

Então, calou-se, pois chorava...

— É aqui. Deixe-me caminhar sozinho.

Como tinha medo, ele se sentou.

Em seguida, disse:

— Você sabe... minha flor... sou responsável por ela! É tão frágil! Tão inocente! Tem apenas quatro espinhos para se defender do mundo...

Também me sentei, pois já não aguentava ficar em pé. Ele prosseguiu:

— Pronto... isso é tudo...

Ele hesitou um pouco, e logo se levantou. Deu um passo. Eu não conseguia me mexer.

Vi apenas um brilho amarelo junto ao seu tornozelo. Ele permaneceu um momento parado. Não gritou. Tombou mansamente como uma árvore derrubada. Graças à areia, não fez o menor ruído.

27

Hoje, já se passaram seis anos... Eu nunca havia contado esta história. Meus colegas de trabalho ficaram felizes ao me reencontrar vivo. Eu me sentia triste. Justifiquei-me: "É o cansaço...".

Hoje, estou mais conformado. Quero dizer... não totalmente. Sei muito bem que ele retornou ao seu planeta, pois, ao amanhecer, não encontrei mais seu corpo. Não era um corpo pesado... Adoro contemplar as estrelas à noite. São quinhentos milhões de sininhos...

Porém, aconteceu algo extraordinário. Ao desenhar a focinheira para o pequeno príncipe, eu me esqueci de acrescentar a correia de couro! Ele jamais poderá prender seu carneiro. Então, eu me pergunto: "O que terá sucedido no planeta dele? Quem sabe o carneiro comeu a flor...".

Às vezes penso: "É possível que não! O pequeno príncipe deve ter guardado sua flor, todas as noites, na redoma de vidro, e vigiado atentamente seu carneiro...". Isso me faz feliz. E todas as estrelas me sorriem com doçura.

Outras vezes, reflito: "De vez em quando a gente se distrai. É o bastante! Quem sabe, uma noite, ele se esqueceu de cobrir a flor com a redoma de vidro e o carneiro escapou sem fazer ruído...". Então, os sininhos parecem chorar...

Eis um grande mistério. Para vocês que, como eu, amam o pequeno príncipe, todo o Universo se modifica se em algum planeta, que não sabemos onde fica, um carneiro, que não conhecemos, comeu ou não comeu uma rosa...

Contemplem o céu. E perguntem-se: "O carneiro comeu ou não a flor?". Verão como tudo muda...

E nenhum adulto jamais compreenderá como isso é tão importante!

Esta é, para mim, a mais bela e a mais triste paisagem do mundo. É a mesma paisagem da página anterior, mas eu a desenhei de novo para mostrar a vocês. Foi aqui que o pequeno príncipe chegou à Terra e, mais tarde, partiu.

Olhem atentamente esta paisagem para que, um dia, se visitarem a África, possam reconhecê-la no deserto. Caso passem por ali, peço a vocês, não se apressem, parem por um momento sob a estrela! Se, por acaso, um jovem aparecer e sorrir, e se ele tiver cabelos dourados e nada responder quando perguntado, tenham certeza de que é ele. Por favor, sejam gentis! Não me deixem triste: avisem-me logo que ele voltou...

Vida e obra de Antoine de Saint-Exupéry

Leoclícia Alves

É verão de 1912. No aeródromo de Ambérieu, na França, as pessoas assistem fascinadas ao espetáculo das máquinas voadoras. Seis anos atrás, um ousado brasileiro chamado Santos Dumont tinha alçado voo sobre Paris, numa engenhoca feita de bambu, seda japonesa e alumínio, o lendário 14-bis. Começava a era da aviação.

Nesse dia, na pista do aeródromo, está Gabriel Wroblewski, inventor e piloto. Ele conversa com um garoto de olhos expressivos, que lhe diz: "*Monsieur, minha mãe me deu permissão para voar!*". Gabriel

O futuro aviador e escritor Antoine de Saint-Exupéry, com sete anos de idade.

retruca: *"É mesmo?"* — *"Sim, eu lhe garanto!"*, responde o menino, sem piscar. E convence. O pequeno Antoine de Saint-Exupéry, aos doze anos, realiza seu primeiro batismo de voo, com a ajuda de uma mentirinha: sua mãe nem sonhava que, naquela tarde, o filho estava a voar pelos céus da França.

Antoine, ou melhor, Jean-Baptiste Marie Roger Pierre de Saint-Exupéry, nasceu em 1900, na cidade de Lyon. Seu pai era o conde Jean de Saint-Exupéry, e sua mãe, a doce Marie Foscolome, também de

Saint-Exupéry aos seis anos, com sua tia Madeleine Foscolombe.

origem nobre. O patriarca morreu precocemente num acidente ferroviário e Marie tomou para si a responsabilidade de educar os cinco filhos: Marie-Madeleine, Simone, Gabrielle, Antoine e François. É no castelo Saint-Maurice de Rémens, rodeado de uma floresta de pinheiros negros, que Antoine e seus irmãos irão crescer.

Ao completar dezessete anos, Antoine já passou por diversas escolas, onde ganhou a fama de distraído. Sua inteligência e criatividade, porém, são incontestáveis. Ele vai para Paris tentar a vida e lá é recebido por sua prima Ivone, a duquesa de Trèvise. Ivone é uma mulher que aprecia as artes. Seu humilde palacete é frequentado pela nata literária da cidade. São os famosos anos 1920, *a Belle Époque* de Paris. É Ivone quem apresenta o primo a muitos artistas, e também a seu futuro editor literário, Gaston Gallimard.

Incerto quanto ao futuro, Antoine tenta entrar na escola naval, mas é recusado. Curiosamente, sua nota em redação foi muito baixa. O tema? "*Impressões de um soldado voltando da guerra*". Reza a lenda que ele escreveu na folha de resposta: "*Eu não fui à guerra, então acho que não posso falar nada 'fingido*'".

Resolve estudar arquitetura na Escola de Belas Artes, mas não vai muito adiante. Seu sonho de criança se torna cada vez mais imperativo: voe! Ele aguarda a oportunidade.

Em 1921, é chamado para a Força Aérea da França, mas devido a seu conhecimento em mecânica, fica no solo, consertando os aviões, o que lhe causa grande decepção. Resolve então fazer um curso sério de aviação por conta própria. Tudo certinho, como manda o figurino, mas Saint-Exupéry é um jovem impaciente. Na primeira oportunidade, enfastiado das explicações teóricas, aproveita um minuto de distração do instrutor e decola sozinho. "*Oh! Vejam lá se não é o louco Saint-Exupéry! Como vai pousar?*" De fato. Ele não teve aulas de pouso. A plateia aguarda o pior. Mas para surpresa geral, e dele mesmo, o teimoso piloto faz uma aterrissagem aos solavancos. A cabine começa a pegar fogo, a fumaça negra sobe. Mas Saint-Exupéry, milagrosamente, está são e salvo, orgulhoso, mas encrencado. Vai passar duas semanas na prisão.

Consegue seu brevê de piloto no ano seguinte, mesma época em que é dispensado do exército, com a patente de subtenente.

Sua chance de *voar de verdade* está chegando. Um amigo, o abade Sudour, apresenta Antoine a Didier Daurat, chefe da companhia aérea *Latécoère*. O dono da empresa, Pierre-Georges Latécoère, acabara de ter uma ideia bem maluca, mas sedutora: usar os aviões ociosos da Primeira Guerra Mundial para formar o primeiro correio aéreo do mundo. Daurat, braço direito do dono, contrata Saint-Exupéry para as primeiras expedições.

As belas memórias de seus primeiros voos como mensageiro estão no livro *Terra dos Homens*, publicado em 1939. Saint-Exupéry faz a linha Tolouse-Dacar. Ali, conhece seus fiéis amigos: Jean Mermoz e Henry Guillaumet. Os três serão protagonistas de aventuras perigosas nos céus da África do Norte.

E eis que surge o deserto...

Tem como falar de Saint-Exupéry sem pensar no deserto?

Ele reflete, em *Terra dos Homens*:

> "*Entretanto, amamos o deserto [...] Se no começo ele é apenas solidão e silêncio, é que não se entrega aos amantes de um dia. Mesmo uma simples aldeia de nossa terra se furta assim*

Terra dos Homens (1939) ll Livro que ganhou o *Grande Prêmio de Romance da Academia Francesa*. Autobiográfico, traz as memórias de seus primeiros voos.

Em dezembro de 1934, Saint-Exupéry e seu mecânico Prévot tentam quebrar o recorde de velocidade Paris-Saigon. Uma pane derruba o monomotor *Simon Caudron* no deserto da Líbia, Egito.

ao recém-chegado [...] Mesmo um homem, a dois passos de nós, um homem que se encerrou em seu claustro e vive segundo regras para nós desconhecidas é como se habitasse nas solidões do Tibete, longe, tão longe que nenhum avião nos levaria até lá, nunca. Nada nos adiantaria visitar a sua cela. Ela está vazia. O império do homem é interior."

Após adquirir experiência no ofício, obtém o posto de chefe no cabo Juby, um ponto de reabastecimento dos aviões-mensageiros, no deserto da Mauritânia. Não é bem o que se poderia chamar de um *belo cargo*. E por motivos bem óbvios: era uma área constantemente ameaçada pelos mouros rebeldes, que não hesitavam em derrubar aviões estrangeiros e usar pilotos como reféns em troca de dinheiro, isso quando não matavam, simplesmente.

Mas Saint-Ex, como era apelidado pelos amigos, ousado de nascença, aceitou o desafio e *cativou* os mouros.

Pacientemente, aprende árabe. Senta na areia do deserto para comer com eles e mostra seus truques de mágica. Estabelece assim uma inusitada relação de paz com os rebeldes, que o apelidam de Satax. Muitas tribos o chamam respeitosamente de *Senhor das Areias*. Todos sabem: Saint-Ex é um homem corajoso. E mais importante: Saint-Ex é um homem responsável. Ele parte em missões quase suicidas para resgatar pilotos perdidos no meio do deserto, percorrendo áreas varridas por tiros de fuzis. No que depender dele, seus companheiros jamais serão deixados para trás.

"O senhor é um homem bom, por favor, me esconda no seu avião." É Bark, um velho escravo dos mouros que implora a Saint-Ex que o ajude a fugir. E Saint-Ex o ajudará, mas não vai escondê-lo no avião e despertar a ira dos mouros. Ele junta todas as suas economias e negocia a liberdade de Bark. Generoso, leva o ex-escravo de volta à sua terra, Marrakesh, e dá o que

Saint-Exupéry com sua esposa Consuelo Soucin Sandoval, em 1935.

lhe resta de dinheiro: *"Boa sorte, amigo. Sempre é tempo de recomeçar"*.

E volta para seu deserto, o deserto que é silêncio, templo fértil para seu fértil pensamento; o deserto que guarda seus segredos, como o coração dos homens. Quando sobrevoa sozinho os oceanos infindáveis de areia é sobre a humanidade que Saint-Exupéry pensa. Em sua tenda, à noite, escreve cartas afetuosas para aqueles que ama.

É um período de profundo aprendizado. No deserto, ele escreve seu primeiro livro, *Correio do Sul*, que será publicado em 1929.

Em 1927, a companhia aérea para a qual Saint-Ex trabalha resolve expandir suas atividades. A essa altura, a *Aéropostale*, ex-*Latécoère*, é simplesmente a maior do mundo! O magnata Pierre esfrega as mãos, contente. Sua ideia do correio aéreo foi um sucesso. Seus pilotos não têm medo! Conduzem os

Correio Sul (1929) II Seu primeiro livro, escrito em pleno deserto da Mauritânia, conta as aventuras de Jacques Bernis, um piloto dividido entre o amor por uma moça e os perigos da rota aérea França – América do Sul.

frágeis aviões, enfrentando tempestades, ciclones e as traiçoeiras montanhas dos Andes, expandindo mais e mais as rotas de entrega.

"O correio tem que chegar!" é o lema dos bravos e leais aviadores.

E agora chegava a vez da América do Sul. Saint-Exupéry é convidado para assumir a diretoria da linha da Patagônia, na Argentina. Foi preciso perguntar duas vezes se ele topava? Claro que não. Cheio de energia, aos vinte e sete anos, ele parte para o Novo Mundo onde, para sua grande alegria, vai trabalhar com seus velhos amigos Mermoz e Guillaumet.

Sua estada nas terras de cá deixou boas lembranças. O povoado de Campeche, em Santa Catarina, tem muitas histórias para contar. Lá, havia um campo de pouso e abastecimento de aviões. Os moradores, em sua maioria pescadores de vida simples, ficavam fascinados com os pássaros de metal que viviam a subir e descer do céu.

"Lá vem o Zé Perri!", exclamavam. Um simpático francês descia de sua *engenhoca voadora* e cumprimentava a todos, sempre sorridente. Ia se deliciar com a culinária local e papear com seu Deca, um pescador que virou seu amigo.

O neto de seu Deca, impressionado com os relatos do avô sobre a amizade com o aviador estrangeiro, escreveu um livro: *Deca e Zé Perri*. O cativante pai do *Pequeno Príncipe* deixou saudades no pequeno povoado. Eles o homenagearam com o nome de sua principal avenida e colocaram o principezinho como rosto de boas-vindas em muitos dos estabelecimentos da cidade.

É em Buenos Aires, num jantar na embaixada francesa, que o galante Saint-Exupéry conhece Consuelo Soucin, uma jovem artista plástica de beleza arrebatadora. Natural de El Salvador, ela é uma mulher de gênio forte, uma personalidade marcante. E sofre de asma, por isso dá leves tossidinhas...

Os dois iniciam um romance intenso e conturbado.

"Deveria ter percebido sua ternura por trás daquelas tolas mentiras. As flores são tão contraditórias. Mas eu era jovem demais para saber amá-la."

Apesar... O amor é apesar. Saint-Exupéry jamais abandonará Consuelo, apesar de seus caprichos difíceis de lidar. Eles se casam na França em 1931. Ela sobe ao altar vestida de preto, com um buquê de rosas vermelhas, selando um casamento cheio de altos e baixos.

A temporada que viveu na América do Sul foi decisiva no amadurecimento de Saint-Exupéry. Os desafios do ofício, o amor por Consuelo, a fidelidade a seus amigos... Ali ele escreve *Voo Noturno*, seu segundo romance. O livro conta a história do jovem piloto Fabien, comandado pelo austero diretor Rivière. Baseado em *acontecimentos reais*, Saint-Ex aborda o nascimento dos voos noturnos, com todos os seus perigos naturais. Isto porque antes os aviões só decolavam de dia, mas a *Aéropostale*, sempre visionária, decidiu agilizar ainda mais os correios. No livro, temos uma tragédia, e uma genial análise dessa tragédia, pela óptica do dever e do amor, temas fortíssimos em Saint-Exupéry. Percebe-se aqui a maturação de uma filosofia, que vai culminar mais tarde na bíblia do pensamento exupéryano: *Cidadela*.

Voo Noturno é publicado na França em 1931. Um sucesso. Ganha o importante prêmio Fémina. Hollywood se interessa pela obra e ela vai parar nas telas, com Clark Gable no papel principal. Na França, o perfume *Vol de Nuit*, caríssimo, simboliza o fascínio da nação pelos códigos de honra dos heróis aviadores:

> *"A vida nos separa talvez dos companheiros, e nos impede de pensar muito nisso. Eles estão em algum lugar, não se sabe bem onde, silenciosos e esquecidos, mas tão fiéis! E se cruzamos seus caminhos, eles nos sacodem pelos ombros com belos lampejos de alegria. Sim, nós temos o hábito de esperar..."*

Vol de nuit (1931) II Cartaz em francês do filme. Direção: Clarence Brown. Produção: David O. Selznick. 1933. 84 min.

A crise de *Wall Street* em 1929 e as instabilidades políticas na América do Sul minam a potência da *Aéropostale*, seus donos são a família Bouilloux-Lafont, que afundada em dívidas, liquida a empresa. Ela é vendida a companhias privadas francesas e recebe posteriormente o nome *Air France*.

Após a dissolução da companhia, Saint-Exupéry volta a morar na França com sua esposa. Mas não irá descansar. Escreve com paixão, desenha, toca violino, ama a companhia de sua esposa e amigos, mas precisa voar. Consegue o modesto posto de piloto de testes na *Air France*, mas o que o interessa agora é a nova moda francesa: testar modelos novos de avião e recordes de velocidade aérea. As recompensas são boas, e o desafio, por si só, o atrai como um ímã.

Ele escreve:

"Mais coisas sobre nós mesmos nos ensina a terra do que todos os livros. Porque oferece resistência".

Começa então uma série de aventuras bem perigosas, e igualmente emocionantes. Uma delas certamente merece nota. O ano é 1934. Ele e seu mecânico Prévot decolam de Benghazi, cidade da Líbia, para quebrar o recorde até Paris. Um gordo prêmio os aguarda e eles aceleram. Tudo vai bem até que uma pane os derruba no meio do deserto da Líbia. Sem água, sem comida, e com um avião definitivamente sem conserto. E agora?

Eles enfrentam o calor escaldante. Tentam captar o orvalho da noite com lonas do avião, impregnadas de óleo e ácido. Quase morrem envenenados. Quatro dias de sede e fome. Saint-Exupéry, no entanto, não se entrega ao desespero, ele medita sobre as pequenas coisas bonitas que consegue ver. A raposa do deserto, arredia, que se alimenta de minúsculos caracóis, de forma a respeitar seu ciclo reprodutivo. O espetáculo do céu noturno, límpido, primitivo. Seu companheiro sugere o revólver, mas Saint-Exupéry respeita a vida até seus últimos segundos possíveis, ele não vai desistir dela tão fácil. Resolvem se embrenhar pelas dunas infinitas, delirantes. As miragens se tornando cada vez mais sérias. É a morte chegando, e com ela vem uma espécie de serenidade salvadora, eles sabem disso.

Ao fim do quarto dia, já nos limites da desidratação, Prévot vê sua última alucinação: "*Olha, Antoine, um anjo num camelo*". Saint-Ex se vira, descrente, com o pouco de força que ainda lhe resta, e para sua surpresa, também vê o anjo: "*Eu também o vejo, Prévot*".

O anjo é um beduíno do deserto, que os salva da morte certa. *Terra dos Homens,* que será publicado em 1939, traz o relato dessa experiência quase mortal, mas transformadora para os dois aviadores.

No ano seguinte, 1936, explode a Guerra Civil Espanhola. Este seria só o começo de uma avalanche perigosa de governos totalitários. Adolf Hitler prepara a Alemanha para uma ofensiva violenta contra toda a Europa. Ele alia-se aos ditadores fascistas Benito Mussolini, da Itália; e Francisco Franco, da Espanha. A França, pátria amada de Saint-Exupéry, enfrenta sérios problemas... Brigas e mais brigas internas entre a esquerda e a direita tornam impossível uma unidade nacional de defesa.

Ele é contratado por um jornal francês para escrever reportagens. Além dele, Ernest Hemingway, George Orwell e muitos outros escritores consagrados são convocados a falar sobre o fantasma que começa a cobrir a Europa.

Uma visita à Alemanha o deixa assombrado. Seus textos corajosos alertam a França sobre a necessidade de uma união para enfrentar o inimigo que se aproxima. O nazismo se espalha como uma praga forte.

Em *Carta a um refém*, escrito durante seu exílio nos Estados Unidos, ele reflete:

> *"Uma tirania totalitária poderia satisfazer-nos em nossas necessidades materiais. Mas não somos um rebanho no pasto. [...] Quando o nazista respeita exclusivamente aquele que se parece com ele, respeita apenas a si mesmo. Recusa as contradições criadoras, destrói toda esperança de ascensão e erige, por mil anos, em lugar de um homem, o robô de um formigueiro. [...] Incapazes de se impor pela evidência, as religiões políticas apelam para a violência. E eis que, dividindo-nos quanto aos métodos, arriscamo-nos a não mais reconhecer que caminhamos para o mesmo fim."*

Ainda em 1936, seu primeiro romance, *Correio do Sul*, é adaptado para o cinema. Saint-Exupéry, o próprio, é quem faz as arriscadas manobras aéreas para as filmagens. Um piloto-escritor. Ativo e atento. Ele é consciente do perigo das *sementes de baobá*, símbolos de uma ameaça (talvez a maldade humana?) que se não forem arrancadas enquanto é tempo, podem rachar um planeta. O principezinho, ao cuidar de seu pequeno asteroide em busca das sementes para arrancá-las, é a imagem do ser humano virtuoso, no sentido mais coerente da palavra. Aquele que se sabe responsável por si mesmo, mas também por todo o mundo.

É um período bastante difícil para Saint-Exupéry. Mermoz, seu grande amigo dos tempos de correio aéreo, morre num acidente de avião. Em casa, o casamento passa por uma fase delicada. Saint-Exupéry e Consuelo não conseguem conciliar bem seus gênios fortes.

> *"Tu decidiste partir. Vai embora!*
> *Ela não queria que ele a visse chorar. Era uma flor muito orgulhosa..."*

Resolvem se separar. Pegam o mesmo trem e se despedem, respeitosamente. Ela embarca num navio com destino à sua terra natal. E Saint-Exupéry pilota um avião, com o objetivo de vencer a prova de criação de uma nova rota: Nova York-Patagônia. Mas quando se encontra no céu da Guatemala o avião começa uma queda livre e se espatifa no solo. A causa? Erro de cálculo. O avião não aguentou o peso do combustível.

Foi um acidente gravíssimo que quase ceifou a vida do jovem piloto-escritor. Quebrou os braços,

Saint-Exupéry e sua esposa, a bela e geniosa Consuelo Soucin, em 1934.

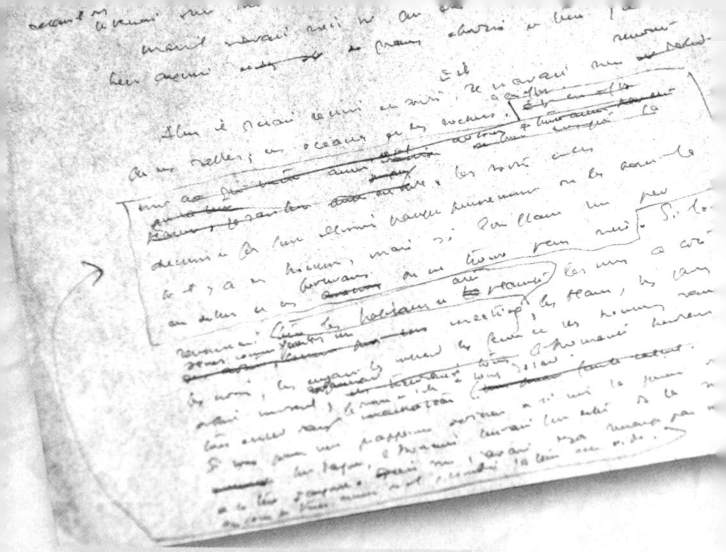

Detalhe de um manuscrito original de *O Pequeno Príncipe*, escrito por Saint-Exupéry em 1941. O rascunho foi apresentando pela casa de leilão *Art Curial*, de Paris.

© REMY DE LA MAUVINIERE/AP PHOTO/GLOW IMAGES

os punhos e a mandíbula; seu ombro esquerdo ficou totalmente esmagado. Muitas fraturas expostas. Salvou-se por um milagre. O médico sugere que seu braço esquerdo, em condições deploráveis, seja amputado. O paciente teimoso diz que não. E ficará com um braço semiparalisado para sempre.

Mas trata-se de Saint-Exupéry, um homem forte por dentro e por fora. Ele se recupera do acidente, embora vá ficar com sequelas sérias que o impossibilitam de voar novamente: a mobilidade de seus membros está agora bastante reduzida, até mesmo abrir um paraquedas, para ele, é tremendamente difícil.

"Ah, mas eu estou vivo. Para tudo, há um jeito!"

Saint-Exupéry vai para Nova York fazer cirurgias e resolve ficar por um tempo. Uma grande amiga, Nelly de Vogüé, lhe arranja uma boa acomodação na cidade e o apresenta aos círculos de artistas. Todos gostam dele. O único problema é que ele é um escritor dos ares, e terá que aprender a viver como um escritor de salões.

Termina de escrever e publica *Terra dos Homens*, um sucesso de crítica, e ganha o *National Award Book* de 1939. Ganha, também na França, o Grande Prêmio de Romance da Academia Francesa no mesmo ano.

Ele volta para seu país e se engaja de forma crescente nas questões políticas.

Em 1º de setembro de 1939, a Segunda Guerra Mundial começa com a invasão da Polônia pelo exército alemão. A situação da França é crítica, algo que Saint-Exupéry vinha alertando havia anos. Grande parte dos franceses não acredita que Hitler vá *ousar contra Paris*. Mas a história nos dá a resposta: ele ousaria sim.

O parco exército francês sofre com a falta de soldados. Sem organização, como combater o invasor?

Contra o parecer dos médicos, Saint-Exupéry consegue autorização para voar, e é integrado como capitão do esquadrão 2/33, responsável por voos de reconhecimento aéreo. Interceptar o inimigo antes que ele chegasse em suas portas era a única maneira de preparar as linhas de defesa. Saint-Exupéry faz missões rasantes arriscadas. Ele e os bravos companheiros do esquadrão enfrentam as saraivadas de bombas, tiros de canhões e metralhadora. Dezenas de aviões são abatidos.

Em 1940, Hitler chega a Paris. A França, encurralada e fraca, assina o armistício. É o fim. Saint-Exupéry está desesperado. Não terá alternativa que não seja exilar-se nos Estados Unidos e buscar, praticamente sozinho, o apoio do presidente Roosevelt para combater os alemães.

Tem que se submeter ainda a várias cirurgias, o que o limita bastante fisicamente.

Junto a uma colônia de franceses exilados em Nova York, eles buscam meios para ajudar sua pátria. Saint-Exupéry escreve o marcante livro *Piloto*

Cidadela || Chamada pelo próprio Saint-Exupéry de sua *obra póstuma*, nunca foi concluída. Publicado em 1948, após sua morte, o livro tem mais de 500 páginas. De uma impressionante profundidade linguística e filosófica, o autor reflete sobre o sentido da vida, na voz de um antigo e melancólico rei berbere.

de Guerra, onde reflete de forma profunda sobre os perigos de um fim da civilização pelo totalitarismo. Rapidamente se torna o mais vendido das Américas. É chamado de resposta filosófica, à altura, ao *Mein Kampf*, a obra doutrinadora de Adolf Hitler. A causa francesa ganha destaque nas discussões americanas.

O Pequeno Príncipe nasce agora, no meio da guerra.

Uma noite, enquanto Saint-Exupéry está jantando com seu editor, ele rabisca um desenho curioso. Um menino de cabelos cor de ouro. O editor pergunta do que se trata. E ele responde que não é nada demais:

"É apenas o garoto que existe em meu coração."

Ao que o editor retruca, esperançoso:

"Por que não pode ser ele o herói de um livro infantil? Poderíamos lançá-lo no Natal!"

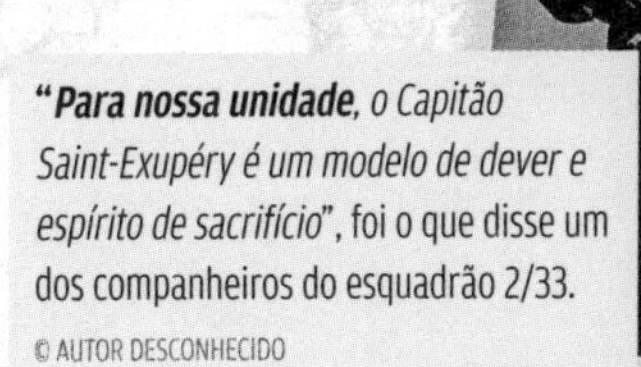

"Para nossa unidade, *o Capitão Saint-Exupéry é um modelo de dever e espírito de sacrifício*", foi o que disse um dos companheiros do esquadrão 2/33.

© AUTOR DESCONHECIDO

Com seu fiel amigo Henry Guillaumet, em frente a um avião modelo *Latécoère 28*, da *Aéropostale*.

É o ano de 1942. Saint-Exupéry se pergunta: "*É. Por que não? Mas o que eu diria aos homens?*"

Seu livro póstumo, *Cidadela*, traz uma das respostas a essa pergunta:

> *"Porque tu vives segundo um império, que não é de coisas, mas do sentido das coisas".*

***"Um belo castigo** me espera se eu for inferior ao que penso de mim mesmo."*

E o principezinho sai pelo universo, de carona numa revoada de pássaros selvagens, com a missão de descobrir o sentido das coisas.

> *"Que quer dizer cativar?"*
> *"Onde estão os homens? — tornou a perguntar o principezinho —, a gente se sente um pouco só no deserto."*
> *"Entre os homens a gente também se sente só — disse a serpente."*

É porque algo muito importante está faltando neles. "*O que é?*" — queria saber o principezinho.

Poucos, como a raposa, saberiam a resposta, mas generosa, ela partilha com o amigo que a cativou. É um presente muito precioso: "*Só se vê bem com o coração, o essencial é invisível aos olhos*".

Eis que em *Terra dos Homens*, Saint-Exupéry dá nome ao verdadeiro deserto do coração:

> *"Em um mundo em que a vida se une tanto à vida, em que as flores amam as flores no leito dos ventos, em que o cisne conhece todos os cisnes, só os homens constroem a sua solidão".*

Naquele momento, Saint-Exupéry se perguntava o que dizer à humanidade, num momento tão difícil

O baobá, árvore de origem africana. Seu tronco chega a 10 metros de diâmetro. Na foto, espécime no centro da cidade de Nísia Floresta, a 45 quilômetros de Natal (RN). Árvore rara no Brasil, é muito comum na África, Oriente Médio e Austrália.

UniFARMA
FARMA
Baobá

em que milhões de pessoas eram obrigadas a usar na roupa uma estrela amarela que simbolizava um carimbo de morte. "*Por que estão deturpando a pureza de uma estrela amarela? Por que estão deturpando a pureza das pessoas?*" Léon Werth, a quem *O Pequeno Príncipe* é dedicado, é um judeu, amigo de Saint--Exupéry, que ficara na França e fora carimbado...

Saint-Exupéry inicia uma força-tarefa. Pede à sua rosa Consuelo que lhe arranje um lugarzinho simples para escrever em paz. (Os dois tinham reatado e ela fora para Nova York.) Ela lhe consegue um casarão e enche a casa de amigos para inspirá-lo. A ideia, contudo, dá muito certo.

A doce Silvia Hamilton, uma grande amiga, lhe é inspiração para criar a raposa. O cachorrinho dela, um *poodle* branco, vai ser o modelo para os carneirinhos. Entre poses divertidas e diálogos meio malucos, o conto de Natal vai ganhando forma. Saint-Exupéry resolve, ele mesmo, ilustrar seu livro. Munido de suas aquarelas, retoma uma *promissora carreira de pintor*. Os belíssimos desenhos, tão marcantes para todos nós, foram feitos com intensa dedicação e amor, ao som da Sinfonia nº 40 de Mozart. Noites a fio, sem dormir, só o principezinho existia em sua mente, e o acolhia nos braços. O exílio nos Estados Unidos foi também uma forma de aplacar a solidão, trazendo de volta aquela criança curiosa, de cabelos dourados, ninguém menos que ele mesmo quando desbravava a floresta de pinheiros negros na França.

No dia 6 de abril de 1943, *O Pequeno Príncipe* é lançado nos Estados Unidos. Saint-Exupéry, no entanto, não imagina a fama que seu livrinho iria alcançar.

Ele está muito preocupado com a França. Não suporta a ideia de ver o lugar onde nasceu na posse dos invasores nazistas.

Naquele ano, os Estados Unidos enviam suas primeiras tropas para a África do Norte. Saint-Exupéry, a muito custo, consegue se integrar ao grupo de combate, e parte para a guerra.

Em 1944, Saint-Exupéry está com quarenta e quatro anos. Ele se prepara para uma missão de reconhecimento aéreo a bordo de um Lightning P-38. É manhã do dia 31 de julho. Ele decola, confiante e orgulhoso, feliz por se sentir útil à sua pátria.

É o último voo do Capitão Saint-Exupéry. Seu avião desaparece sem deixar vestígio.

Paris é libertada dez dias depois com a vitória dos Aliados. Mais alguns meses e a Alemanha se rende. Acaba a Segunda Guerra Mundial, deixando um saldo de milhões de mortos e uma Europa inteira para se erguer das ruínas.

Um clássico nascia: *O Pequeno Príncipe* torna-se o terceiro livro mais traduzido, perdendo apenas para a Bíblia e o Alcorão. São quase 250 versões.

Saint-Exupéry entrando na cabine do avião, com ajuda do tenente Leleu. Em Alghero (Sardenha), 1944.

É, incontestavelmente, a obra mais famosa da literatura francesa.

O tempo passou...

Em1998, um pescador do Mediterrâneo puxa sua rede e fica intrigado com algo que reluz nela. Encravada numa pequena pedra, está uma pulseira de prata. Ele desprende o objeto com cuidado e lê o que está escrito ali: *Antoine de Saint-Exupéry (Consuelo) c/o Reynal And Hitchcock 386 4TH Ave. N.Y. U.S.A.*

É acionada uma equipe de rastreamento. Destroços de um modelo *Lightning P-38* são encontrados numa área próxima dali. Mais investigações e surge uma revelação: um piloto alemão da época da guerra, chamado Horst Rippert, tinha abatido aquele avião. Era seu dever no exército. Mas, triste, reconhece: "*Se eu soubesse que quem estava pilotando era Saint-Exupéry, jamais o teria derrubado. Todos nós líamos seus livros. Gostávamos muito dele*".

Imortalizado em sua obra, Saint-Exupéry segue cativando crianças e adultos no mundo inteiro.

Ilustração do pintor A. Koshkin para *O Pequeno Príncipe*.

© SVERDLOV/RIA NOVOSTI/AFP

어린 왕자
생텍쥐페리/전성자 옮김
ΑΝΤΟΥΑΝ ΝΤΕ ΣΑΙΝΤ-ΕΞΥΠΕΡΥ
Ο Μικρός Πρίγκιπας
Le Petit Prince
Avec des aquarelles de l'auteur
nrf
ANTOINE DE SAINT-EXUPÉRY
Il Piccolo Principe
Con le illustrazioni dell'autore
星の王子さま
JE SUIS
Le Petit Prince
I AM
The Little Prince

Prateleira com algumas versões de *O Pequeno Príncipe*. São quase 250 traduções.

© AGE FOTOSTOCK/EASYPIX BRASIL